Manque de temps ?
Envie de réussir ?
Besoin d'aide ?

La solution

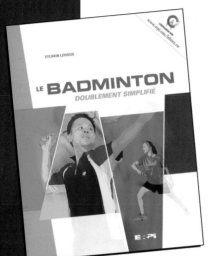

Le *Compagnon Web* :
www.erpi.com/lehoux.cw

Il contient des outils en ligne qui vous permettront
de tester ou d'approfondir vos connaissances.

✓ **Des vidéos des coups et des déplacements de base.**

✓ **Une présentation de coups et de déplacements
pour joueurs avancés.**

✓ **Un jeu-questionnaire interactif.**

✓ **Des progressions péda̶g̶o̶g̶i̶**

Comment accéder
au Compagnon Web de votre manuel ?

Étape 1 : Allez à l'adresse **www.erpi.com/lehoux.cw**
Étape 2 : Lorsqu'ils seront demandés, entrez le nom d'usager et le mot de passe ci-dessous :

Nom d'usager	cw1502
Mot de passe	ad25gg

Ce livre **ne peut être retourné**
si les cases ci-contre sont
découvertes.

Étape 3 : Suivez les instructions à l'écran
Assistance technique : tech@erpi.com

⌐ SOULEVEZ ICI

ERPi

20423W

LE BADMINTON

DOUBLEMENT SIMPLIFIÉ

SYLVAIN LEHOUX

LE BADMINTON

DOUBLEMENT SIMPLIFIÉ

 COMPAGNON WEB

SYLVAIN LEHOUX,
collège de Bois-de-Boulogne

SANDY FOURNIER,
collège de Bois-de-Boulogne

ERPI
ÉDITIONS DU RENOUVEAU PÉDAGOGIQUE INC.

5757, RUE CYPIHOT, SAINT-LAURENT (QUÉBEC)   H4S 1R3
TÉLÉPHONE: 514 334-2690   TÉLÉCOPIEUR: 514 334-4720
erpidlm@erpi.com   w w w . e r p i . c o m

Direction, développement de produits
Isabelle de la Barrière

Supervision éditoriale
Bérengère Roudil

Révision linguistique
Nicolas Calvé

Correction des épreuves
Marie-Claude Rochon

Index
Monique Dumont

Direction artistique
Hélène Cousineau

Supervision de la production
Muriel Normand

Conception graphique de l'intérieur et de la couverture
Martin Tremblay

Infographie
Info GL

Dans cet ouvrage, le générique masculin est utilisé sans aucune discrimination et uniquement pour alléger le texte.

Dépôt légal : 2008
Bibliothèque et Archives nationales du Québec
Bibliothèque et Archives Canada
Imprimé au Canada

ISBN 978-2-7613-2218-8

234567890   SO   12 11 10 09
20423   ABCD   SM10

Cet ouvrage vise à faciliter l'apprentissage et la pratique du badminton à toute personne qui désire apprendre et s'améliorer. S'il s'adresse principalement aux joueurs débutants et intermédiaires, il fournit également des informations et du matériel de perfectionnement pour les joueurs avancés. Il se veut un outil pédagogique pratique et riche pour les professeurs d'éducation physique et les entraîneurs.

La structure générale du livre

La première des deux grandes parties du livre, qui regroupe les chapitres 1 à 4, vous présente le badminton d'une manière générale et décrit les différents éléments de base, théoriques, techniques et tactiques. Elle aborde les règles, le matériel, les coups, les déplacements et les tactiques de jeu. Les coups et les déplacements se présentent sous forme de fiches avec photos, afin de rendre leur description plus claire. Pour conclure la partie, afin de vérifier l'intégration des concepts, une révision met vos connaissances à l'épreuve.

La deuxième partie, qui regroupe les chapitres 5 à 9, vous propose une démarche d'apprentissage simple en six étapes : 1) autoévaluation globale de vos habiletés ; 2) détermination des objectifs ; 3) autoévaluation des coups et des déplacements ; 4) exercices visant à travailler certains éléments techniques ; 5) évaluation de l'efficacité en situation de jeu ; 6) autoévaluation finale. Cette démarche vous permettra d'acquérir et de développer les habiletés de base, en fonction de votre niveau. À chacune des étapes sont associés des outils pratiques intégrés dans les chapitres, tels que des grilles, des fiches et des tableaux, ou accessibles sur le Compagnon Web. En conclusion de cette deuxième partie, trois feuilles d'évaluation permettent une évaluation globale des cours et de la progression.

À la fin de l'ouvrage, un lexique définit tous les mots qui sont en gras dans le texte. Vous pouvez ainsi à tout moment vous y reporter pour vérifier un terme ou une expression.

Une approche différenciée selon les différents niveaux de jeu

D'une manière générale, ce livre s'adresse aux joueurs de niveau débutant ou intermédiaire. Il comprend un grand nombre de conseils pratiques pour tous. À certains endroits, la couleur verte (carrés verts dans les fiches et phrases en vert dans le texte) signale les éléments qui concernent les débutants en particulier. À d'autres, la couleur bleue attire l'attention des joueurs avancés sur des éléments plus difficiles, plus précis qui permettent d'affiner les mouvements et d'augmenter l'efficacité en jeu. Par ailleurs, le Compagnon Web de l'ouvrage comporte des fiches pour les joueurs avancés.

Si vous êtes débutant, attardez-vous principalement sur les trois habiletés techniques suivantes, jusqu'à les maîtriser : le service long, le dégagé et les déplacements. Ils sont à la base de tout le reste. Par ailleurs, vous constaterez, avec un peu de pratique, que certains mouvements, comme le dégagé et le smash ou le lob en coup droit et le service long, se ressemblent beaucoup.

Le Compagnon Web

 Ce pictogramme signale que vous pouvez trouver un complément d'information ou de matériel sur le Compagnon Web de l'ouvrage, à l'adresse suivante : www.erpi.com/lehoux.cw.

Ce pictogramme vous invite à visionner les vidéos des mouvements et des déplacements sur le Compagnon Web.

Voici le contenu détaillé du Compagnon Web :

- ▶ Vidéos des coups et des déplacements de base.
- ▶ Présentation de coups pour joueurs avancés.
- ▶ Présentation de déplacements pour joueurs avancés.
- ▶ Jeu-questionnaire interactif avec réponses instantanées et explications, pour compléter la révision.

- ▶ Progressions pédagogiques des différents coups avec des séries d'exercices évolutifs.
- ▶ Présentation des éléments tactiques du double mixte.
- ▶ Liens Internet pour trouver les règlements complets ainsi que diverses informations théoriques ou pratiques.

Par ailleurs, les enseignants trouveront sur le Compagnon Web le corrigé des questions de révision, des banques de questions pour préparer leurs examens, des grilles de tournois à imprimer et un exemple d'échéancier de cours.

À vos raquettes, prêts, jouez !

Si le badminton est un sport techniquement complexe, il n'est pas pour autant un sport inaccessible. Toute personne qui le désire peut acquérir et développer les habiletés de base et améliorer son niveau de jeu tout en s'amusant. Le but de ce guide est donc de vous *simplifier doublement* le badminton ! C'est un outil riche et flexible. Chacun doit pouvoir l'utiliser à son rythme, en fonction de son niveau, de manière autonome. Observez bien les photos, les vidéos et les figures. Concentrez-vous sur un petit nombre d'éléments techniques à la fois. Travaillez en priorité vos points faibles. Prenez le temps de regarder les autres jouer. Répondez aux questions de révision. Essayez de sentir votre corps lorsque vous reproduisez les mouvements. Faites beaucoup d'exercices variés. Et, pour finir, n'hésitez pas à demander de l'aide !

Nous vous souhaitons beaucoup de plaisir dans l'apprentissage et la pratique du badminton.

Remerciements

La conception et l'élaboration de cet ouvrage n'auraient pu être possibles sans la collaboration et l'appui de plusieurs personnes. C'est pourquoi je désire prendre le temps de remercier tous ceux et celles qui m'ont soutenu dans cette grande aventure.

Je lève mon chapeau à toute l'équipe d'ERPI qui a fait un travail extraordinaire. Je pense notamment à Muriel Normand, coordonnatrice aux réalisations graphiques, et à Martin Tremblay, concepteur graphique. Je tiens à souligner également le magnifique travail de supervision de Bérengère Roudil et de révision de Nicolas Calvé. Leurs critiques et suggestions étaient toujours les bienvenues. Je remercie du fond du cœur Jean-Pierre Albert, vice-président, édition, et Isabelle de la Barrière, directrice, développement de produits, qui ont cru en ce projet et ont permis sa concrétisation.

Toute ma gratitude va à mon collègue de travail Sandy Fournier, à qui je serai toujours reconnaissant de son aide. Son expertise en informatique a été très profitable. Il est l'artisan du jeu-questionnaire en ligne et des montages vidéo qui sont présentés sur le Compagnon Web.

Un grand merci à Louis Duperré, chargé de cours en badminton à l'Université de Sherbrooke, qui a procédé à la révision des habiletés techniques et stratégiques, ainsi qu'à Guy Chagnon, photographe au collège de Bois-de-Boulogne, auteur d'un certain nombre de photographies du livre. Je désire également témoigner ma reconnaissance à Richard Chevalier, qui a facilité la mise sur pied de ce projet : merci pour tes conseils et ton aide.

Je veux remercier également les professeurs qui ont commenté mon manuscrit, participant ainsi à l'amélioration de mon travail. Je n'oublie pas non plus les athlètes qui ont participé aux séances de photographie et de tournage des vidéos, notamment Simon Bordeleau, Elaine Cheung, Keng Fuk Chhan, Isabelle Doucet, Takahashi Huynh, Sakmony Sith et Cheng Hua Tseng.

Enfin, j'aimerais remercier affectueusement ma conjointe, Marie-Andrée Blanchet, pour son aide technique en informatique et surtout pour son soutien moral.

Sylvain Lehoux

Table des matières

Chapitre 4

Les tactiques 49

◢ Révision 63

◢ DEUXIÈME PARTIE
Évaluations et progression

Chapitre 5

L'autoévaluation de départ (étape 1) 75

Chapitre 6

La détermination des objectifs (étape 2) 79

Chapitre 7

L'autoévaluation des coups (étape 3) 89

Chapitre 8

Les exercices (étape 4) ...107

Chapitre 9

L'autoévaluation de l'efficacité en situation de jeu (étape 5) ...125

Évaluations finales

PREMIÈRE PARTIE

DESCRIPTION DES ÉLÉMENTS DE BASE

Dans la première partie de cet ouvrage, nous vous présentons les éléments de base du badminton. Que ceux-ci soient théoriques, techniques ou tactiques, bien les connaître vous aidera à améliorer votre niveau de jeu, peu importe que vous soyez un joueur débutant, intermédiaire ou avancé. Nous vous offrons des descriptions exhaustives des techniques et des tactiques, pour une utilisation par tous les joueurs.

Si vous êtes débutant, vous ne devez pas travailler tous les éléments présentés : concentrez-vous sur ceux qui sont accompagnés d'un petit carré vert dans les fiches ou qui sont en vert dans le texte. Si vous êtes d'un niveau avancé, les éléments qui sont en bleu dans le texte s'adressent en particulier à vous.

Le chapitre 1 aborde les origines du badminton, ses principales règles et son équipement. Nous y offrons aussi quelques conseils de début d'apprentissage.

Les chapitres 2 et 3 portent sur les habiletés techniques. Nous y décrivons, sous forme de fiches, la plupart des coups et la manière dont on doit les exécuter. Nous nous attardons ensuite aux déplacements, qui sont d'une importance capitale.

Le chapitre 4 traite des tactiques de base à appliquer lors d'un match. La tactique est étroitement liée à la maîtrise technique : plus cette dernière est grande, plus l'éventail tactique est large.

Après cela, la section «Révision» vous permet, avec ses questions, d'évaluer vos connaissances et vos progrès.

LE BADMINTON

Qu'est-ce que le badminton? Quelles en sont les origines? Comment y joue-t-on? Ce premier chapitre propose une description de ce sport dans ses grandes lignes. Nous aborderons son histoire, ses règles et l'équipement qu'il requiert. Nous terminerons avec quelques conseils pratiques pour les débutants.

LES ORIGINES ET L'HISTOIRE DU BADMINTON

Le badminton est, de nos jours, un sport qui connaît une très grande popularité. Ses origines sont très anciennes, mais il est difficile de les déterminer avec précision. On sait cependant que les Chinois s'adonnaient, il y a plus de 2 000 ans, à des jeux de volants frappés avec les pieds. Par ailleurs, on voit, sur des peintures du XVIIᵉ siècle, des gens qui s'échangent un objet à l'aide d'une raquette. Ce jeu s'appelait le *battledore* ou le *shuttlecock*. Il évolua avec l'utilisation de raquettes de bois et la diversification des projectiles (morceau de liège, balle de laine, etc.). Ce n'est que vers l'an 1700 qu'on ajouta des plumes au liège afin d'en ralentir la chute.

En Inde, au XIXᵉ siècle, l'occupant britannique s'est familiarisé avec un autre ancêtre du badminton : le *poona*. Deux équipes, formées de quatre ou cinq joueurs, s'affrontaient sur un terrain divisé par un filet. Les partenaires d'une même équipe s'échangeaient une balle légère jusqu'à ce qu'ils soient en mesure de l'envoyer dans le demi-terrain adverse. Vers 1870, des officiers anglais déployés en Inde s'approprièrent le *poona* et, de retour au Royaume-Uni, le développèrent. Le jeu y connut une vive popularité. C'est en 1873, à la Badminton House, résidence du duc de Beaufort, que le sport tel qu'on le connaît aujourd'hui vit le jour. Les invités voulaient s'adonner au *poona*, mais n'avaient pas de balle pour jouer ; ils eurent donc l'idée de fixer des plumes à un bouchon de liège. Dans la journée, il se mit à pleuvoir, ce qui les incita à se mettre à l'abri. L'un des participants eut l'idée d'attacher le filet dans le hall d'entrée. Comme l'espace était restreint, on augmenta la hauteur du filet à 1,5 m et on diminua le nombre de joueurs à deux par équipe.

Afin de faciliter, d'uniformiser et de régir la pratique de ce nouveau jeu, il fallait en déterminer les règles. C'est en 1877, au Pakistan, qu'on proposa une première codification. En 1893, on créa l'Association de badminton d'Angleterre[1], qui développa ces règlements et les rendit officiels, en plus de contribuer à l'évolution du sport et à sa diffusion ailleurs dans le monde. Ce n'est pourtant qu'en 1972, à Munich, qu'eurent lieu, en démonstration, les premières compétitions olympiques de badminton.

En raison des liens importants qui unissent l'Angleterre et l'Inde, le badminton s'est rapidement implanté dans ce pays et ailleurs en Asie. Encore aujourd'hui, ces deux nations constituent des puissances mondiales du badminton. Le Danemark, la Chine, la Corée, la Malaisie, les Pays-Bas et l'Indonésie comptent également dans leurs rangs les joueurs les plus redoutables du monde.

---

1. Badminton Association of England (BAofE), aujourd'hui Badminton England.

LE TERRAIN, LE BUT DU JEU ET LES RÈGLEMENTS

Le terrain

On pratique le badminton sur un terrain rectangulaire de 13,40 m sur 6,10 m (figure 1). Le terrain est divisé en deux parties séparées par un filet : les demi-terrains. En simple, on compte un joueur par demi-terrain ; en double, on y compte deux joueurs. Le haut du filet doit être à 1,52 m du sol au centre du terrain et à 1,55 m sur les côtés.

L'aire de jeu n'est pas la même selon que l'on joue en simple ou en double. Dans les deux cas, le terrain a la même longueur. Cependant, en simple, celui-ci est plus étroit (figure 2), alors qu'en double, l'utilisation des deux **couloirs (ou corridors) de côté**[2] fait en sorte qu'il est plus large (figure 3).

Figure 1   Terrain de badminton (lignes).

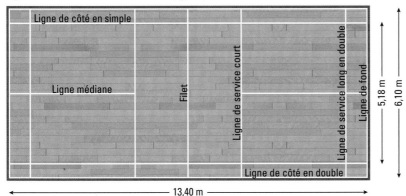

Figure 2   Terrain en simple (zones).   **Figure 3**   Terrain en double (zones).

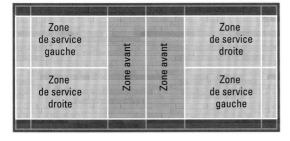

Le but du jeu

Le badminton compte les cinq disciplines suivantes : simple homme, simple dame, double hommes, double dames et double mixte. Le but du jeu est d'envoyer, à l'aide d'une raquette, un volant dans le demi-terrain de l'adversaire de manière à ce que celui-ci ne soit pas en mesure de le renvoyer de l'autre côté. Le volant doit absolument passer par-dessus le filet et ne doit pas toucher le sol.

---

2. Tous les mots en gras sont définis dans le lexique se trouvant à la fin du livre.

Les règlements

Cette présentation simplifiée des règlements est un résumé des *Règles officielles du badminton et recommandations,* elles-mêmes étant la traduction des *Laws of Badminton* établies par la Badminton World Federation (BWF). Il ne s'agit donc pas du texte intégral des règles utilisées lors des compétitions, mais d'une première approche s'adressant aux débutants et aux joueurs de loisir. Pour consulter les règlements complets, rendez-vous sur le Compagnon Web du livre, où vous trouverez un lien.

Le déroulement d'un match

Pour gagner un **match** de badminton, un **camp** doit gagner deux **manches** de 21 points ; chaque manche est constituée d'un nombre variable d'**échanges** au terme desquels sont marqués les points. Tous les échanges mènent à un point.

Un camp gagne un échange lorsque le volant touche le sol du **demi-terrain** adverse, lorsque le camp adverse renvoie le volant à l'extérieur des limites du terrain, lorsque celui-ci ne réussit pas à renvoyer le volant ou lorsque celui-ci commet une **faute**.

Le volant n'est plus en jeu dès qu'il touche le sol ou que, après avoir touché un poteau ou le filet, il retombe du côté de celui qui l'a frappé. Il en va de même lorsqu'il y a faute ou **reprise**.

Si le score atteint 20-20, la manche est prolongée, et c'est le camp qui, le premier, prend une avance de deux points qui la remporte. Si le score atteint 29-29, c'est le camp qui marque le 30e point qui remporte la manche. Le vainqueur d'une manche sert le premier à la manche suivante.

Les joueurs changent de demi-terrain après la première manche, après la deuxième manche (si une troisième manche doit avoir lieu) et pendant la troisième manche, dès qu'un camp atteint 11 points.

Avant de commencer une **partie**, on procède à un tirage au sort à l'aide d'une pièce ou d'un volant. Le camp vainqueur peut soit choisir le demi-terrain, soit décider de servir ou de recevoir en premier. L'autre camp a le choix inverse. Le premier **serveur** se place dans la **zone de service** droite et sert en direction du **receveur**, situé dans la zone de service diagonalement opposée (figure 4). Le receveur ne doit pas bouger avant que le serveur ait frappé le volant.

En simple, si le serveur gagne l'échange, il marque un point et continue à servir depuis l'autre zone de service ; si le receveur gagne l'échange, il marque un point et devient alors le nouveau serveur. *En double,* si l'équipe au service gagne l'échange, elle marque un point, et le joueur qui servait continue à servir depuis l'autre zone de service. Si l'équipe en réception de service gagne l'échange, elle marque un point et reprend le service.

Les positions de service et de réception

En simple, le serveur effectue le service à partir de la zone de droite si son score est pair (0, 2, 4…), comme le montre la figure 4. Il l'effectue de la zone de gauche si son score est impair (1, 3, 5…).

En double, au début d'une manche et quand le score du camp serveur est pair (0, 2, 4…), le service se fait à partir de la zone droite (figure 5) ; quand le score du camp serveur est impair (1, 3, 5…), le service se fait à partir de la zone gauche. Le joueur du camp receveur qui a servi le dernier doit rester dans la zone où il était à ce moment. Pendant une manche, les joueurs ne changent de zone de service que lorsqu'ils marquent un point en tant que serveur. Les partenaires du serveur et du receveur peuvent se placer où ils veulent à condition de ne pas leur gêner la vue.

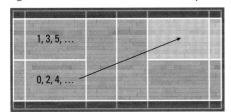

Figure 4   Position du serveur en simple.

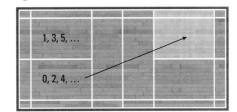

Figure 5   Position du serveur en double.

Règles à respecter lors du service

Le serveur doit :

- ▶ tout comme le receveur, maintenir une partie de chaque pied en contact avec le sol, en position stationnaire jusqu'à ce que le volant soit frappé (le serveur et le receveur ne peuvent toucher les lignes qui délimitent les zones de service) ;
- ▶ attendre que le receveur soit prêt avant de servir ;
- ▶ frapper la base du volant ;
- ▶ frapper le volant alors qu'il est sous la hauteur de la deuxième côte flottante ;
- ▶ faire en sorte que la tête de sa raquette soit orientée vers le bas au moment où il frappe le volant (la tige doit être au moins légèrement inclinée) ;
- ▶ faire en sorte que sa raquette avance constamment (pas d'arrêt ni de retour en arrière).

Lors d'un service, le volant peut toucher le filet pourvu qu'il atterrisse dans la bonne zone de service.

Un joueur commet une erreur de zone de service s'il sert ou reçoit alors que ce n'est pas son tour, ou s'il sert ou reçoit dans la mauvaise zone de service. Si on se rend compte d'une telle erreur, on la corrige, mais le score est maintenu.

Les reprises (*lets*)

Il y a reprise lorsque :

- ▶ le serveur sert avant que le receveur ne soit prêt ;
- ▶ le serveur et le receveur commettent simultanément une faute lors du service ;
- ▶ le volant reste accroché au filet (sauf au service) ;
- ▶ le volant se désintègre pendant l'échange ; la base du volant se sépare complètement de l'empennage ;
- ▶ un événement imprévu ou accidentel se produit.

S'il y a reprise, l'échange en cours (depuis le dernier service) ne compte pas, et le joueur qui a servi recommence.

Les fautes

Il y a faute lorsque :

- ▶ le service est incorrect ;
- ▶ le receveur entreprend un déplacement précipité ou touche aux lignes délimitant la zone de service ;
- ▶ le volant tombe à l'extérieur du terrain (un volant est jugé en jeu si sa base touche la ligne) ;
- ▶ le volant passe sous le filet ou à travers lui ;
- ▶ la raquette ou les vêtements d'un joueur touchent le filet alors que le volant est en jeu ;
- ▶ un joueur frappe le volant avant qu'il ne pénètre dans son demi-terrain (on peut néanmoins terminer le mouvement d'un coup dans le demi-terrain adverse après avoir frappé le volant, pourvu qu'on ne touche pas au filet et qu'on ne nuise pas à l'adversaire) ;
- ▶ un joueur porte puis lance volontairement le volant avec sa raquette ;
- ▶ un joueur frappe le volant deux fois de suite avec deux gestes (il n'y a pas faute, cependant, si la raquette touche le volant deux fois dans un même mouvement continu ou si le cadre et le cordage de la raquette touchent le volant d'un seul coup) ;
- ▶ un joueur et son partenaire frappent successivement le volant ;
- ▶ le volant touche le corps ou les vêtements d'un joueur, le plafond ou tout objet situé à l'extérieur du terrain ;
- ▶ un joueur a une conduite offensante ;
- ▶ le partenaire du receveur renvoie le service ;
- ▶ le serveur, en essayant de servir, manque le volant ;
- ▶ un joueur ou sa raquette empiètent sur le demi-terrain adverse ;
- ▶ un joueur fait obstruction à son adversaire en l'empêchant de compléter son geste suivi par-dessus le filet.

Aubrey Lilie

Fiche de suivi des objectifs 11 : Les attitudes

Attitudes	Jamais	Parfois	Souvent	Toujours
Respect des autres joueurs et des règles			✓	
Esprit sportif (dans la victoire comme dans la défaite)			✓	
Entraide et coopération J'encourage les autres. Je m'implique activement dans la démarche d'évaluation de mes partenaires. Je leur fais des commentaires constructifs.				✓
Dépassement personnel Je veux m'améliorer et je fais les efforts pour y arriver. Je suis déterminé, je désire atteindre mes objectifs.			✓	
Constance de l'effort durant les exercices afin d'améliorer les gestes techniques Je suis concentré, je persévère.				
Constance de l'effort durant les parties Je fais de mon mieux et je n'abandonne jamais. Je fais preuve de persévérance et de combativité.				
Contrôle de ses émotions				
Autocritique Je suis capable de me remettre en question et de cibler les éléments que je dois améliorer. Je prends le temps d'analyser mes forces et mes faiblesses. J'essaie de surmonter mes difficultés techniques et stratégiques. Je suis attentif à mes attitudes. J'accepte de faire des erreurs.				
Confiance en soi et pensée positive J'essaie de rester positif quoi qu'il arrive.				
Implication consciente dans l'action Je tente d'appliquer et de développer les stratégies de base. J'analyse mon adversaire afin de connaître ses forces et ses faiblesses.				
Agressivité Je suis alerte et éveillé. Je réagis rapidement. Je ne suis ni passif ni nonchalant.				

Choisissez une attitude que vous désirez améliorer parmi celles que nous venons de présenter.

Objectif :

_____

_____

_____

Moyens utilisés pour atteindre votre objectif et éléments à surveiller :

_____

_____

_____

Objectif atteint (oui/non) : Justifications ?

_____

_____

_____

Difficulté(s) rencontrée(s) :

_____

_____

_____

Les pauses

Dès qu'un camp atteint 11 points dans une manche, les joueurs ont droit à une pause de 60 secondes.

Entre les manches, les joueurs ont droit à une pause de 120 secondes.

 **LA RAQUETTE**

La raquette est l'outil qu'on utilise pour frapper le volant (figure 6). Sa longueur ne doit pas excéder 68 cm, et sa largeur, 23 cm. Ses différentes parties sont le **cadre**, le **cordage** ou le **tamis**, la **tige**, le fuseau et le manche. Le cadre et le cordage constituent la **tête**; c'est avec cette dernière que l'on frappe le volant.

Il existe une grande variété de raquettes. On doit tenir compte de certains éléments afin d'en choisir une qui corresponde à ses besoins : niveau d'habileté et morphologie (grandeur des mains) du joueur; coût de la raquette.

Le prix de vente des raquettes varie considérablement selon les matériaux dont elles sont fabriquées. Celles qu'utilisent les joueurs de haut niveau sont composées de graphite et de carbone; elles sont donc fort légères et très rigides. Elles coûtent cependant plutôt cher (de 100 $ à 250 $). Les joueurs intermédiaires optent souvent pour des modèles plus abordables (de 40 $ à 100 $), faits de graphite et d'aluminium. D'autres raquettes, en aluminium et en acier, sont assez bon marché (de 15 $ à 35 $); elles sont toutefois beaucoup plus lourdes que les autres et ne permettent pas de frapper avec autant de puissance et de précision.

Si vous êtes débutant ou intermédiaire et que vous désirez jouer régulièrement, nous vous conseillons d'acquérir une raquette dont le prix se situe entre 40 $ et 70 $. Utilisez un cordage en nylon dont la tension est d'environ 8 kg (18 livres). Assurez-vous que son manche offre une bonne adhérence.

Figure 6 Raquette.

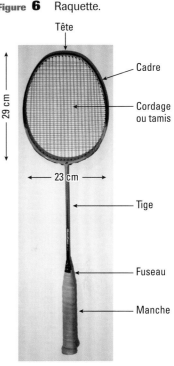

Tête

Cadre

Cordage ou tamis

29 cm

23 cm

Tige

Fuseau

Manche

 **LE VOLANT**

Description

Le volant est le projectile utilisé pour jouer au badminton. Il est constitué de deux parties principales : l'**empennage** et la **base**, ou la tête. C'est cette dernière que l'on frappe avec la raquette. La forme conique du volant accroît sa résistance à l'air, ce qui lui permet de décélérer en peu de temps. Son poids varie entre 4,74 g et 5,50 g.

Il existe deux types de volants : ceux dont l'empennage est fait de plumes d'oie (figure 7, p. 10) et ceux dont il est fait de nylon (figure 8, p. 10). Les volants de plumes procurent plus précision, mais coûtent beaucoup plus cher et ont une durée de vie nettement plus courte. Ils sont surtout utilisés par les joueurs de haut niveau. Si vous êtes débutant ou intermédiaire, optez plutôt pour des volants de nylon, en prenant soin de choisir ceux dont la base est en liège. Le prix de vente pour une boîte de six est d'environ 12 $.

Figure 7 Volant de plumes d'oie.

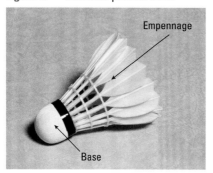

Figure 8 Volant de nylon.

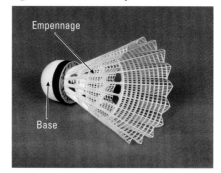

La tenue du volant

On doit tenir le volant entre le pouce et l'index, juste sous sa base, au début de l'empennage (figure 9). De cette façon, on s'assure que sa chute sera bien verticale, sans mouvement de bascule ni oscillation, et qu'il ne se déforme pas.

Figure 9 Tenue du volant.

La vitesse du volant

Il est très important de vérifier régulièrement la vitesse du volant, avant et pendant le match. Un volant trop rapide ou trop lent peut nuire à l'un ou l'autre des joueurs. Ceux qui smashent très fort aiment un volant rapide, alors que ceux qui affrontent un adversaire puissant en préfèrent un lent.

Il arrive que des joueurs peu scrupuleux modifient la vitesse du volant sans en avertir leur adversaire, afin de prendre avantage sur lui ; il s'agit d'une pratique contraire aux règles.

Pour vérifier la vitesse du volant, il suffit de se positionner dans le couloir de fond et d'effectuer un coup vif et prompt par en dessous (le même mouvement que pour un **service long** tendu) ; sa **trajectoire** doit être basse (figure 10). La vitesse du volant est réglementaire s'il atterrit dans le **couloir (ou corridor) de fond** ou moins de 30 centimètres avant la **ligne de service long en double**.

Figure 10   Vérification de la vitesse du volant.

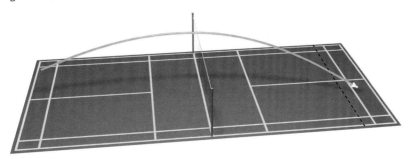

Figure 11   Repli de l'empennage du volant pour réduire la vitesse.

Lorsqu'on juge qu'un volant est trop rapide, il est possible de le ralentir. Il suffit d'accroître la circonférence de son empennage (sans le déformer), ce qui a pour effet de diminuer sa vitesse, à la manière d'un parachute. Pour ce faire, il faut replier le contour de l'empennage vers l'extérieur sur toute sa circonférence, avec les doigts, en prenant soin de ne pas abîmer le volant (figure 11).

 ## QUELQUES CONSEILS DE DÉBUT D'APPRENTISSAGE

Si vous souhaitez améliorer votre niveau et, ce faisant, vos performances, vous devez travailler votre jeu sous différents aspects. Vous devez perfectionner vos qualités physiques, psychologiques, techniques et tactiques.

▶ Qualités physiques : puissance, endurance, résistance, souplesse, vitesse, **coordination** ;

▶ Qualités psychologiques : concentration, détermination, combativité, contrôle des émotions, patience ;

▶ Qualités techniques : maîtrise des différents coups, des **feintes**, des déplacements rapides et du **jeu en suspension** ;

▶ Qualités tactiques : observation des situations d'équilibre et de déséquilibre de l'adversaire afin d'en tirer profit, anticipation, sens de l'observation, analyse de l'adversaire, prise de risques.

Le badminton nécessite le développement d'habiletés techniques relativement complexes. Si vous êtes débutant et que vous souhaitez acquérir les gestes appropriés, vous devrez surmonter certaines difficultés. Ce jeu étant très rapide, il offre peu de temps de réaction. Vous devez coordonner vos mouvements avec la trajectoire et la vitesse du volant, vous déplacer au bon endroit et adopter une position stable tout en étant très attentif à l'exécution correcte de votre coup. Il y a donc beaucoup d'informations à analyser et d'ajustements à effectuer.

Acquérir les bons gestes techniques est très important. Si vous êtes débutant, nous vous recommandons d'acquérir les mouvements en milieu contrôlé et de porter attention à un ou deux éléments à la fois, pas plus. C'est pourquoi nous vous recommandons de respecter une progression tenant compte de vos capacités, de votre rythme d'apprentissage et de votre expérience.

Voici les difficultés que rencontrent souvent les nouveaux joueurs, ainsi que les solutions à envisager pour les surmonter.

La coordination œil-main-raquette

En début d'apprentissage, plusieurs joueurs trouvent difficile de bien se placer par rapport au volant. Ils sont incapables d'effectuer les ajustements posturaux nécessaires pour bien le frapper, et ils ne sont pas conscients du fait que la raquette constitue le prolongement de leur bras.

Si vous comptez parmi ces joueurs, vous devrez apprendre à juger la distance qui sépare la tête de la raquette de votre corps, un élément des plus importants pour qui veut développer sa coordination œil-main et la relation corps-objet ; cela vous aidera à établir la portée dont vous disposez pour frapper le volant.

Si vous manquez souvent le volant, nous vous recommandons d'effectuer des exercices de manipulation avec la raquette. Vous pouvez par exemple ramasser le volant au sol, le faire bondir sur la raquette en **coup droit** et en **revers**, le frapper contre un mur, etc. Vous pouvez aussi faire des exercices sans vous déplacer, avec des volants lancés.

L'analyse de la trajectoire et la synchronisation du geste

D'un coup à l'autre, le volant n'a presque jamais la même trajectoire, et sa vitesse varie énormément. Comme débutant, vous trouverez ardu de coordonner vos mouvements avec ces diverses trajectoires tout en vous concentrant sur la technique, puisque vous devez en même temps analyser diverses informations.

Pour vous consacrer en priorité à l'apprentissage des gestes techniques, concentrez-vous sur un ou deux éléments techniques par mouvement et demandez à un partenaire de vous lancer des volants avec les mains. Cette méthode vous évite d'avoir à vous déplacer et de devoir évaluer la vitesse et la trajectoire du projectile. Graduellement, au fur et à mesure que le mouvement se précise, augmentez-en le degré de difficulté.

La distance des envois

Un autre problème rencontré en début d'apprentissage concerne la distance des retours. L'efficacité des coups dépend en grande partie de la maîtrise des gestes techniques. Si l'on est incapable d'effectuer les mouvements correctement, il devient difficile de diriger les retours aux bons endroits. Une erreur commise par plusieurs débutants consiste à concentrer leurs efforts uniquement sur la force de frappe : ils renvoient le volant le plus loin possible, mais de manière plutôt maladroite.

Le meilleur moyen pour éviter que force et distance prennent trop d'importance consiste à vous exercer devant un mur. Vous pouvez ainsi vous concentrer sur le geste technique. On pratique souvent un tel exercice en vue de maîtriser des coups demandant beaucoup de puissance (dégagé, smash, dégagé du revers). Au fur et à mesure de votre progression, vous pourrez vous éloigner du mur, voire aller sur le terrain.

La longueur des mouvements

La maîtrise de l'amplitude des gestes constitue une difficulté majeure dans l'acquisition et l'intégration des mouvements. Puisque ces derniers sont pour la plupart très longs et qu'ils doivent être exécutés en respectant plusieurs éléments techniques, il est ardu de bien les reproduire.

Pour faciliter l'apprentissage des gestes, raccourcissez-les. Utilisez une progression permettant de faire l'acquisition du geste à l'envers : attardez-vous d'abord au point d'impact en vous assurant de bien terminer le mouvement, puis allongez le geste en précisant les autres éléments à respecter. À mesure que le mouvement s'améliore, augmentez la longueur du geste pour le mener jusqu'à sa phase initiale. C'est un peu comme visionner un film en marche arrière (voir chap. 2).

Les déplacements

Au badminton, les déplacements sont très nombreux et s'effectuent dans toutes les directions. De mauvais déplacements nuisent énormément à la réussite des coups. Pour accroître l'efficacité de ces derniers, vous devez apprendre à vous déplacer assez rapidement pour vous placer derrière le volant, prendre un appui stable et vous mettre en équilibre. L'acquisition des bons pas permet également d'améliorer toutes les autres facettes de votre jeu. Il vous faut donc y porter une attention particulière (voir chap. 3).

Afin de faciliter l'intégration des déplacements, exercez-vous à en faire sans volant. Vous pouvez les intégrer à l'échauffement, et les faire dans un espace réduit afin de diminuer leur longueur.

Quelques conseils avant d'aller plus loin

Plus fréquentes seront les occasions de mettre en pratique de nouvelles techniques, plus grande sera votre maîtrise du jeu. Jouez davantage en simple ; vous aurez ainsi la chance de frapper beaucoup plus de coups ; faites des exercices simples et effectuez des retours hauts afin de donner le temps à votre opposant de se déplacer pour bien exécuter ses mouvements. L'essentiel est d'expérimenter des mises en situation variées, mais adaptées à vos besoins et à vos capacités (voir chap. 8).

CHAPITRE 2

LA DESCRIPTION TECHNIQUE DES COUPS

Le badminton est un sport qui requiert l'apprentissage de nombreux mouvements complexes. Afin de faciliter l'assimilation des différents coups, il est primordial d'analyser ces gestes étape par étape, en allant du simple au complexe. On doit aborder la prise de raquette, la posture, l'extension du bras, etc. Ce chapitre aborde donc en détail les différents coups de base que l'on peut utiliser lors d'une partie de badminton.

Bien qu'il soit important de vous familiariser avec les techniques des coups et de les développer, celles-ci ne doivent pas devenir un objectif ultime. L'amélioration de la qualité technique de vos coups comporte néanmoins plusieurs avantages. Une bonne exécution des coups vous permet d'éviter certaines blessures, de dépenser moins d'énergie, de maximiser votre puissance de frappe, d'accroître la précision et le contrôle de vos coups. Conséquemment, elle favorise une meilleure application des stratégies et laisse moins de temps à l'adversaire pour réagir. Pour les joueurs avancés, les possibilités de raffinement et de variété qu'offre la maîtrise des coups de base aident à **masquer** ces derniers et à feinter, et rendent possible l'exécution de coups à effet (**brossés** et **coupés**). Le Compagnon Web présente des coups spécifiques pour joueurs avancés.

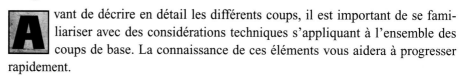

CONSIDÉRATIONS TECHNIQUES DE BASE

Avant de décrire en détail les différents coups, il est important de se familiariser avec des considérations techniques s'appliquant à l'ensemble des coups de base. La connaissance de ces éléments vous aidera à progresser rapidement.

▶ Gardez le volant dans votre champ de vision en tout temps ; regardez-le sans cesse lors de l'exécution d'un coup.

▶ Utilisez la prise universelle pour les coups droits, et la prise de revers pour les coups du côté du revers.

▶ Frappez le volant avec le bras en **extension**, ce dernier agissant comme un levier. En l'allongeant, on développe force et puissance. De plus, en gardant le volant loin de soi, on diminue le nombre de pas à faire, ce qui constitue une économie d'énergie.

▶ Pour les coups qui requièrent plus de puissance, effectuez une vive rotation de l'avant-bras juste avant le contact avec le volant. En coup droit, il s'agit d'une **pronation** : l'avant-bras effectue une rotation vers l'intérieur du corps (figure 12). En revers, il s'agit d'une **supination** : l'avant-bras effectue une rotation vers l'extérieur du corps (figure 13). La rapidité de ces rotations augmente considérablement la vitesse de la tête de raquette, ce qui lui permet de transmettre plus de force au volant.

Figure 12   Pronation de l'avant-bras.

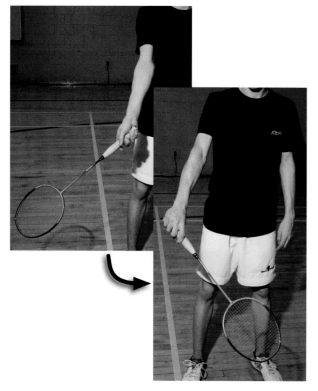

Figure 13   Supination de l'avant-bras.

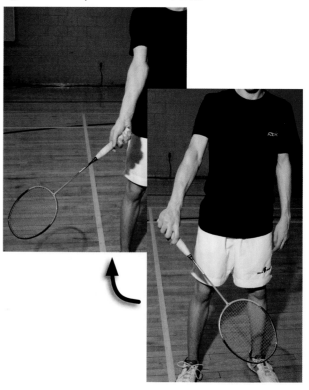

▶ Frappez le volant devant vous, et prenez-le le plus haut possible ; cela permet de transmettre la force de votre corps au volant de manière optimale (transfert de poids), d'exécuter une plus grande variété de coups et d'accroître vos angles d'attaque.

▶ Placez vos épaules de profil ou perpendiculairement au filet avant d'effectuer le coup, lors de l'exécution des frappes hautes en coup droit (figure 14). Tout votre corps doit participer au mouvement afin d'optimiser le transfert de poids. Ce dernier est initié par une poussée des jambes transmettant sa force aux hanches et au tronc qui, eux, vont ensuite la transmettre aux épaules, au bras et à l'avant-bras, pour enfin la transférer au volant. Cela permet une plus grande puissance, un meilleur masquage des coups, une plus grande précision, une économie d'énergie, un meilleur angle d'attaque, la possibilité de frapper le volant plus tôt, etc.

▶ Ayez vos deux pieds au sol au moment de la frappe afin d'être stable et de garder l'équilibre. Le contrôle de la posture et de l'équilibre permet d'exécuter des coups beaucoup plus précis. Pour diverses raisons, les joueurs de haut niveau préfèrent exécuter les coups droits de l'arrière du terrain, en suspension.

▶ Effectuez toujours le dernier pas sur votre jambe dominante (la jambe droite pour un droitier).

▶ Accélérez la vitesse de la tête de raquette en effectuant une grande boucle avec celle-ci. Cela permet de frapper le volant plus fort. Si vous êtes débutant, ne tenez pas compte de cet élément technique pour l'instant : raccourcissez la longueur de vos mouvements le plus possible.

▶ Terminez les mouvements qui requièrent de la puissance du côté opposé. Les gestes fluides et de grande amplitude bien effectués diminuent les risques de blessure. Par exemple, le dégagé demande un geste qui s'amorce en haut du **côté dominant** et qui s'achève en bas du côté opposé.

Figure 14   Placement de profil.

LES PRISES DE RAQUETTE

Il existe plusieurs façons de tenir une raquette, chacune pouvant varier selon les habiletés du joueur, les coups qu'il a à effectuer et la position qu'il occupe sur le terrain et par rapport au volant. Si vous êtes débutant, nous vous recommandons fortement de bien assimiler la prise universelle (voir la fiche 1) ; celle-ci permet l'apprentissage des coups de base en coup droit (services, dégagés, lobs, amortis, etc.). Vous pourrez vous initier à d'autres prises de raquette dès que vous aurez acquis les habiletés de base. Certaines d'entre elles permettent de générer plus de puissance, que ce soit en coup droit ou en coup du revers, alors que d'autres favorisent la précision et la rapidité d'exécution. Pour les coups vifs et prompts, les prises doivent favoriser l'accélération de la tête de la raquette par l'entremise de la rotation de l'avant-bras.

FICHE 1   LA PRISE UNIVERSELLE

On utilise la prise universelle pour exécuter des coups du côté dominant (droit pour les droitiers, gauche pour les gauchers). Cette prise permet de générer le plus de puissance en coup droit. Elle favorise en effet l'accélération de la tête de la raquette de manière optimale lors de la pronation de l'avant-bras. Cette prise permet de faire tourner la raquette entre les doigts.

- Tenir la raquette par la tige avec la main du **côté non dominant** de manière à ce que le tamis soit perpendiculaire au sol (une des deux faces étroites du manche vers le sol).

- Avancer la main dominante vers la raquette comme pour faire une poignée de main.

- Tenir la raquette à l'extrémité du manche.

- Faire reposer le pouce sur la partie la plus large du manche, mais pas à plat.

- Entourer le manche avec l'index, qui doit être détendu (saisir la raquette avec les doigts, pas avec la paume de la main).

- Former un V avec le pouce et l'index, et s'assurer qu'il pointe en direction de l'épaule opposée.

FICHE 2   LA PRISE DE REVERS

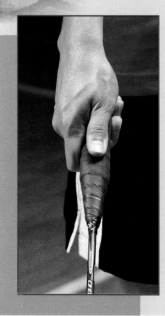

On utilise la prise de revers pour exécuter des coups du côté non dominant. Elle permet dans ces circonstances d'augmenter la puissance grâce à l'action du pouce, qui agit comme un levier.

- Tenir la raquette à l'extrémité du manche.

- Appuyer le pouce à plat sur le côté le plus large du manche de la raquette.

- Saisir la raquette avec les doigts, pas avec la paume de la main.

FICHE 3 — LA PRISE RACCOURCIE

La prise raccourcie ressemble beaucoup à la prise universelle. Cependant, au lieu de tenir la raquette par le bout du manche, il faut la tenir près de la tige. Cette prise permet d'exécuter des coups avec rapidité et finesse, mais avec moins de puissance. On l'utilise davantage en double. Le joueur au filet s'en sert pour prendre l'adversaire de vitesse, pour éviter de toucher le filet ou pour accroître sa précision. Elle est aussi utile pour renvoyer les volants qui se dirigent vers le corps.

- Tenir la raquette par la tige avec la main non dominante, de manière à ce que le tamis soit perpendiculaire au sol (l'une des deux faces étroites du manche vers le sol).

- Avancer la main dominante vers la raquette comme pour faire une poignée de main.

- Tenir la raquette près de la tige.

- Faire reposer le pouce sur la partie la plus large du manche, mais pas à plat.

- Entourer le manche avec l'index, qui doit être détendu.

LA POSITION CENTRALE ET LA POSTURE DE BASE

Une bonne **position centrale** et une **posture de base** dynamique permettent au joueur de se mouvoir rapidement dans toutes les directions et de bien protéger son demi-terrain. La position centrale fait référence à l'endroit sur le terrain où le joueur doit se replacer après chaque coup afin de bien couvrir toute son aire de jeu. La posture, quant à elle, correspond à l'attitude générale du corps, à la façon de se tenir.

FICHE 4 — LA POSITION CENTRALE

La position centrale idéale doit permettre de couvrir efficacement tout le territoire. Le joueur doit être en mesure d'atteindre tous les volants, que ceux-ci se dirigent vers la zone située à proximité du filet, vers la **zone arrière** ou vers les **lignes de côté**. La longueur des déplacements doit être sensiblement la même, peu importe leur direction. La meilleure position est donc près du centre du demi-terrain. Après chaque coup, le joueur doit la reprendre. Il arrive cependant qu'il n'en ait pas le temps. On doit toujours s'immobiliser avant le coup de l'adversaire pour ne pas se faire prendre à contre-pied, et ce, même si le replacement n'est pas effectué.

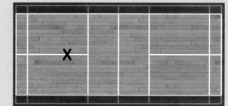

FICHE 5 — LA POSTURE DE BASE

La posture de base correspond à la position du tronc et des membres, donc à la manière de se tenir. Celle-ci doit favoriser une mise sous tension optimale de tous les muscles qui sont sollicités lors des déplacements, l'objectif étant de se déplacer le plus rapidement possible.

- Écarter les pieds à la largeur des épaules ou un peu plus.
- Faire reposer le poids du corps sur le devant des pieds.
- Fléchir les genoux.
- Placer les épaules face au filet.
- Incliner le tronc vers l'avant.
- Tenir la raquette devant le corps, à une hauteur se situant entre la taille et la poitrine.
- La main non dominante est à l'avant, le coude fléchi.

LES SERVICES

Le service est le premier coup effectué lors d'un échange. Il consiste à mettre le volant en jeu. Pour ce faire, il existe différentes techniques dont l'utilisation varie selon le but à atteindre et la préférence du joueur. Nous en abordons trois : le service court, le service long et le service court asiatique.

FICHE 6 — LE SERVICE COURT

Le **service court** est une mise en jeu qui s'effectue de profil par rapport au filet, en frappant en coup droit. Sa trajectoire est courte et basse. Le volant doit passer le plus près possible du filet et tomber tout près de la **ligne de service court** adverse. On l'utilise davantage en double, mais il peut également s'avérer très utile en simple. Lorsqu'elle est bien effectuée, cette mise en jeu limite les possibilités de réponse de l'adversaire, puisque ce dernier doit faire un retour dont la trajectoire sera nécessairement ascendante. Le service court diminue également de beaucoup les chances de retours puissants.

Phase préparatoire

- Se placer à environ 1 m de la ligne de service et près de la **ligne médiane** (en simple).
- Faire pointer le pied non dominant en direction de l'envoi ; placer le pied dominant en arrière, parallèlement à la **ligne de fond**.
- Au départ, fléchir légèrement les jambes en faisant reposer le poids du corps sur la jambe dominante (arrière).
- Tenir le volant devant soi, à la hauteur de la poitrine.
- Pencher légèrement le tronc vers l'avant.
- Placer les épaules et les hanches de profil par rapport au filet.
- Amener la raquette vers l'arrière (parallèle au sol), l'avant-bras en supination et le bras en légère extension.

Phase d'exécution

- Amorcer le mouvement par un transfert de poids de la jambe arrière à la jambe avant.
- Effectuer une rotation des hanches et des épaules.
- Effectuer un mouvement de balancier du bras dominant, vers l'avant et de bas en haut, en commençant derrière le corps.
- Juste avant de frapper, effectuer une légère pronation de l'avant-bras.
- Frapper le volant devant le corps, à la hauteur des cuisses ou de la taille.

Phase finale

- Terminer le mouvement devant le corps, la tête de la raquette à la hauteur de la poitrine.
- Déplacer le pied dominant vers l'avant jusqu'à ce que les deux pieds soient parallèles ; il s'agit de retrouver la position centrale.

FICHE 7   LE SERVICE LONG

Le **service long** est une mise en jeu qui s'effectue de profil par rapport au filet, en frappant en coup droit. Sa trajectoire est haute et profonde, le volant étant dirigé vers le couloir de fond. Idéalement, la chute du volant devrait être verticale, rendant ainsi la position de ce dernier plus difficile à juger par le receveur. Bien effectué, ce service contraint le receveur à reculer et donne au serveur du temps pour réagir. On utilise davantage ce service en simple. Ses éléments techniques sont les mêmes que ceux du service court, mais la vitesse d'exécution est plus grande, le transfert de poids, plus important, et la pronation de l'avant-bras, très vive.

Avec la même exécution technique, il est possible d'effectuer un service long tendu, ayant une trajectoire longue et basse, afin de surprendre l'adversaire.

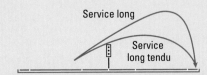

Phase préparatoire ❶

- Se placer à environ 1,5 m de la ligne de service court et près de la ligne médiane.
- Faire pointer le pied non dominant en direction de l'envoi ; placer le pied dominant en arrière, parallèlement à la ligne de fond. Écarter les pieds d'une largeur d'épaule.
- Au départ, fléchir légèrement les jambes en faisant reposer le poids du corps sur la jambe dominante (arrière).
- Tenir le volant devant soi, à la hauteur de la poitrine, légèrement sur le côté.
- Fléchir légèrement le tronc vers l'avant.
- Placer les épaules et les hanches de profil par rapport au filet.
- Amener la raquette vers l'arrière (parallèle au sol), l'avant-bras en supination et le bras en légère extension.

Phase d'exécution ❷

- Amorcer le mouvement par un transfert de poids de la jambe arrière à la jambe avant (décoller le talon du pied arrière du sol afin de faciliter la rotation des hanches et des épaules).
- Effectuer une rotation des hanches et des épaules afin d'amener le corps face au filet.
- Effectuer un mouvement de balancier du bras dominant, vers l'avant et de bas en haut, en commençant derrière le corps.
- Juste avant de frapper, effectuer une pronation vive et prompte de l'avant-bras.
- Frapper le volant devant le corps, à la hauteur des genoux.

Phase finale ❸

- À la suite de la pronation et de l'impact, fléchir l'avant-bras.
- Terminer le geste avec la raquette au-dessus de l'épaule non dominante (les jointures de la main dominante près du visage).
- Déplacer le pied dominant vers l'avant jusqu'à ce que les deux pieds soient parallèles ; il s'agit de retrouver la position centrale.

FICHE 8   LE SERVICE COURT ASIATIQUE

Le **service court asiatique** partage les objectifs du service court traditionnel. Cependant, il a l'avantage d'avoir une trajectoire encore plus courte puisque le serveur peut s'approcher très près de la ligne de service court. Les deux services se distinguent par leur exécution technique. Le service court asiatique requiert une tout autre posture de même qu'un mouvement très court, vif et sec. C'est le service le plus utilisé en double.

Phase préparatoire ❶

- Utiliser la prise de revers.
- Placer le pied dominant à une distance de 5 à 10 cm de la ligne de service court, un peu plus en avant que l'autre pied (écarter les pieds à la largeur des épaules).
- Répartir son poids sur les deux pieds.
- Placer les épaules et les hanches face à la cible.
- Relever le coude dominant à la hauteur de l'épaule, en orientant la raquette vers le sol (il faut placer la raquette, ensuite le volant).
- Tenir le volant devant soi à la hauteur de la taille.

Phase d'exécution ❷

- Procéder à l'extension du bras.
- Faire une supination de l'avant-bras.
- Frapper le volant à la hauteur de la taille.

Phase finale ❸

- Terminer le mouvement devant le corps, la tête de la raquette à la hauteur de la poitrine.

LES COUPS AU-DESSUS DE LA TÊTE

es différents coups de base qu'on peut effectuer au badminton une fois la partie engagée sont présentés en fonction de la façon dont on frappe et de la trajectoire du volant : au-dessus de la tête, à mi-hauteur et par en dessous.

FICHE 9   LE DÉGAGÉ

Le **dégagé** est un coup frappé au-dessus de la tête que l'on effectue du côté dominant à partir de la zone arrière. Le volant doit parcourir une très grande distance puisqu'il doit traverser tout le terrain et atterrir dans le couloir de fond adverse. Il doit donc avoir une trajectoire haute et profonde. Ce coup requiert beaucoup de puissance. Pour la développer, l'élément technique le plus important à maîtriser est la pronation de l'avant-bras. Celle-ci permet d'accélérer très rapidement la tête de la raquette dans un mouvement court et explosif. De plus, la raquette doit percuter le volant à une hauteur optimale au-dessus du joueur, voire devant lui afin d'accroître l'efficacité du transfert de poids.

Il existe deux types de dégagés, le défensif et l'offensif. Les deux s'exécutent avec le même mouvement, mais on les pratique dans des contextes différents et leurs visées sont totalement distinctes. Le dégagé défensif s'effectue lorsqu'un joueur est en difficulté ; il permet au joueur de reprendre sa position centrale tout en ralentissant le rythme du jeu. Sa trajectoire est beaucoup plus haute que celle du dégagé offensif, que l'on exécute pour prendre l'adversaire par surprise, le prendre à contre-pied et diminuer son temps de réaction, le contraignant souvent à effectuer un retour défensif. Il permet également de créer une ouverture dans la **zone avant** adverse, le joueur étant repoussé.

Sur le plan technique, on pratique le dégagé offensif plus tôt que le dégagé défensif ; le contact avec le volant a donc lieu davantage devant le joueur, et l'angle de la tête de la raquette est moins incliné vers l'arrière que lors d'un dégagé défensif.

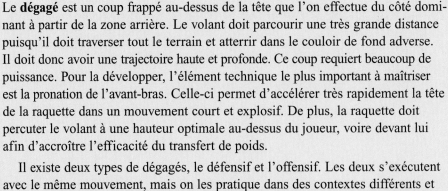

Dégagé défensif

Dégagé offensif

Phase préparatoire ❶

- Utiliser la prise de raquette universelle.
- Se déplacer rapidement afin d'être stable au moment du coup (voir, dans le chapitre 3, les fiches 25 et 26 sur les déplacements arrière au centre et arrière côté coup droit).
- Terminer le déplacement en effectuant un blocage avec le pied dominant (arrière) parallèle à la ligne de fond.
- Placer les épaules et les hanches perpendiculairement au filet.
- Lever le coude dominant jusqu'à la hauteur de l'épaule et l'amener vers l'arrière afin d'**armer le bras**, l'avant-bras en supination.
- Pointer le volant avec le bras non dominant.

Phase d'exécution ❷

- Procéder à un transfert de poids de la jambe arrière à la jambe avant.
- Faire pivoter les hanches dans le sens antihoraire, vers l'avant.
- Effectuer une rotation des épaules dans le sens antihoraire, (pour les droitiers) afin d'amener le corps face au filet
- Effectuer une extension du bras dominant en le faisant passer près de la tête et enchaîner avec une pronation rapide de l'avant-bras juste avant le contact avec le volant.
- Faire contact avec le volant au-dessus de la tête, le plus haut possible, la tête de la raquette légèrement inclinée vers l'arrière.

Phase finale ❸

- Arrêter la course du bras dominant de l'autre côté du corps, vers le bas, la paume de la main près de la hanche, en faisant passer la raquette près du corps.
- Féchir le tronc vers l'avant, l'épaule dominante pointant vers le filet.
- Reprendre l'équilibre en faisant terminer le mouvement de la jambe dominante en avant.

FICHE 10   LE DÉGAGÉ AUTOUR DE LA TÊTE

On utilise le dégagé autour de la tête (aussi connu sous son nom anglais d'*overhead*) pour frapper en coup droit un volant qui se dirige vers le côté revers au fond du terrain. Plus facile à exécuter, plus puissant et plus précis que le dégagé du revers (voir la fiche 13), il permet d'effectuer un éventail de coups plus grand (smash, amorti, dégagé, drive). Le dégagé autour de la tête est néanmoins difficile à maîtriser ; il est donc surtout pratiqué par les joueurs intermédiaires et avancés.

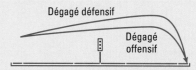

Dégagé défensif

Dégagé offensif

Phase préparatoire ❶
- Se déplacer rapidement afin de se rapprocher le plus possible du volant (voir, dans le chapitre 3, la fiche 28).
- Mettre son poids sur la jambe non dominante.
- Placer les épaules parallèlement au filet.
- Lever le coude dominant jusqu'au niveau de l'épaule et l'amener vers l'arrière afin d'armer le bras.
- Orienter le corps vers le côté revers en cambrant le dos vers l'arrière.

Phase d'exécution ❷
- Induire à la raquette un mouvement circulaire et la faire passer derrière la tête.
- Avancer le bras dominant vers l'avant en le faisant passer très près du dessus de la tête.
- Effectuer une légère extension du bras dominant.
- Effectuer une pronation vive de l'avant-bras juste avant le contact avec le volant (cela permet de générer la puissance) pouvant être suivie d'une légère flexion du poignet.
- Frapper le volant au-dessus de l'épaule opposée.

Phase finale ❸
- Poursuivre le mouvement du bras dominant en direction de l'envoi.
- Effectuer une poussée de la jambe non dominante afin de revenir au centre du demi-terrain.

Il existe un type de dégagé autour de la tête qui requiert des pas différents et exige de **cambrer le dos**. Pour se mettre en position, il faut procéder à un déplacement vers l'arrière qui ressemble beaucoup au déplacement vers l'arrière au centre (voir, dans le chapitre 3, la fiche 25), mais qui est orienté vers le revers ; le pied droit devient ainsi parallèle à la ligne de fond. Cependant, lors du blocage, il n'y a pas de poussée vers l'avant comme lors d'un dégagé traditionnel.

FICHE 11 L'AMORTI

L'**amorti** est un coup frappé au-dessus de la tête qui s'exécute à partir de l'arrière du terrain et dont l'objectif est la zone adverse située près du filet. Un tel coup vise à obliger l'adversaire à relever le volant, mais aussi à le surprendre et à le déséquilibrer. Étant donné que la phase préparatoire du mouvement est la même que celle du dégagé et du smash, l'opposant anticipe souvent un retour puissant. De plus, en s'approchant du filet, le joueur adverse crée une ouverture dans sa zone arrière.

Le geste technique de l'amorti est à peu de chose près le même que celui du dégagé. Un élément majeur le distingue cependant : la décélération du mouvement juste avant l'impact. Comme pour le dégagé, le volant doit être frappé le plus haut possible, mais il doit aller vers le bas et doit passer très près du filet.

Il existe deux types d'amortis : l'amorti lent et l'amorti rapide. Tous deux requièrent les mêmes mouvements, mais l'amorti rapide demande plus de force. Le point de chute du volant et les buts visés ne sont cependant pas les mêmes. Le choix de l'un ou de l'autre dépend de la position de l'adversaire.

L'amorti lent doit faire en sorte que le volant tombe bien en avant de la ligne de service court adverse, le plus près possible du filet. Si le coup est bien réussi, l'adversaire risque de renvoyer le volant dans le filet. L'amorti rapide, quant à lui, doit être dirigé vers une ligne de côté, au niveau de la ligne de service court. Mis sous pression, le joueur adverse dispose de moins de temps pour se déplacer et se rendre au volant.

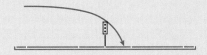

Phase préparatoire identique à celle du dégagé ❶

Éléments qui distinguent l'amorti du dégagé lors de la phase d'exécution ❷

- Incliner légèrement la raquette vers l'avant.
- Ralentir le mouvement du bras dominant et bloquer la pronation de l'avant-bras avant de frapper le volant.
- Frapper le volant alors qu'il est devant soi (davantage que lors des autres coups), à une hauteur optimale.

Élément qui distingue l'amorti du dégagé lors de la phase finale ❸

- Terminer la course du bras dominant devant le corps, ce dernier s'abaissant légèrement après la frappe.

FICHE 12   LE SMASH

Le **smash** est un coup frappé au-dessus de la tête dont la trajectoire, en piqué, est orientée vers une des lignes de côté (en simple) ou entre les deux joueurs (en double). *Il s'agit du coup le plus puissant au badminton,* et on le pratique surtout en double. On l'utilise souvent pour terminer un échange ou pour mettre le joueur adverse sous pression, le contraignant ainsi à effectuer un mauvais retour. La technique du smash est semblable à celle du dégagé, mais son exécution est plus complexe. Il demande une très bonne coordination, un excellent transfert de poids et une pronation prompte et vive. Un smash hâtif ou mal préparé peut ouvrir le terrain à l'adversaire. En simple, il vaut mieux ne pas smasher trop souvent, car ce coup est si exigeant physiquement qu'il peut être source d'épuise-ment inutile.

Phase préparatoire ❶

- Se déplacer rapidement afin d'être stable au moment de frapper (voir, dans le chapitre 3, les fiches 25 et 26 sur les déplacements arrière au centre et arrière côté coup droit).
- Terminer le déplacement en effectuant un blocage avec le pied dominant (arrière), parallèle à la ligne de fond, et y mettre son poids.
- Placer les épaules et les hanches perpendiculairement au filet.
- Pointer le volant avec le bras non dominant (cela facilite la rotation des épaules).
- Lever le coude dominant jusqu'au niveau de l'épaule et l'amener vers l'arrière afin d'armer le bras, l'avant-bras en supination.

Phase d'exécution ❷

- Effectuer un transfert de poids marqué, débutant par une poussée de la jambe dominante vers l'avant et se poursuivant par une rotation des hanches.
- Effectuer une rotation vive des épaules (environ 180 degrés) afin d'amener le corps face au filet.
- Effectuer une extension du bras dominant en le faisant passer près de la tête et enchaîner avec une pronation rapide de l'avant-bras juste avant le contact avec le volant.
- Frapper le volant bien devant soi. Au moment du contact avec le volant, la raquette doit être inclinée vers l'avant de façon marquée.

Phase finale ❸

- Arrêter la course du bras dominant de l'autre côté du corps, vers le bas, la paume de la main près de la hanche, en faisant passer la raquette près du corps.
- Fléchir le tronc vers l'avant, l'épaule dominante pointant vers le filet.
- Retrouver son équilibre en terminant avec la jambe dominante en avant.

FICHE 13 LE DÉGAGÉ DU REVERS

Le dégagé du revers (pour les joueurs intermédiaires et avancés) est un coup joué au-dessus de la tête du côté non dominant que l'on effectue de la zone arrière et qui a pour objectif le couloir de fond adverse. Le volant doit être frappé avec vigueur puisqu'il doit traverser tout le terrain. Sa trajectoire doit être haute et profonde, obligeant l'adversaire à reculer beaucoup, ce qui donne au joueur le temps de revenir au centre de son demi-terrain. Ce coup requiert beaucoup de puissance. Pour la développer, les éléments techniques les plus importants à maîtriser sont la rotation des épaules, l'extension du bras et la supination de l'avant-bras. De tous les coups permis au badminton, il s'agit du plus complexe. Il constitue souvent la plus grande faiblesse des joueurs.

Phase préparatoire ➊

- Effectuer les déplacements appropriés (voir, dans le chapitre 3, les fiches 27 et 28 sur les déplacements arrière côté revers).
- Utiliser la prise de raquette de revers.
- Soulever le pied dominant et l'orienter à 45 degrés, en direction de la ligne de fond, et tourner le dos au filet.
- Supporter le poids du corps à l'aide de la jambe non dominante.
- Incliner légèrement le tronc vers l'avant.
- Lever le coude dominant et le placer devant soi, à la hauteur des épaules, l'avant-bras en pronation.
- Orienter la raquette vers le sol.

Phase d'exécution ➋

- Effectuer une poussée de la jambe non dominante puis une extension de tout le corps en direction du filet. Au même moment, abaisser rapidement la jambe dominante.
- Projeter le coude dominant vers le haut.
- Effectuer une rotation des épaules dans le sens horaire (pour un droitier).
- Simultanément, procéder à une extension du bras.
- Faire une supination vive de l'avant-bras.
- Frapper le volant alors qu'il est au-dessus du niveau de la tête, mais sur le côté par rapport à l'axe du corps.

Phase finale ➌

- Bloquer le geste immédiatement après l'impact.
- Effectuer une poussée de la jambe dominante afin de pivoter pour revenir en position centrale.

FICHE 14   L'AMORTI DU REVERS

L'amorti du revers (pour les joueurs de niveau intermédiaire ou avancé) est un coup frappé au-dessus de la tête du côté non dominant qui s'exécute de la zone arrière du terrain et qui a pour objectif la zone adverse qui se situe près du filet. La trajectoire du volant doit être descendante. La raquette doit percuter le volant en douceur, au moment où ce dernier est le plus haut possible au-dessus du joueur. Ce coup vise à obliger l'adversaire à renvoyer le volant vers le haut. Il ressemble beaucoup au dégagé du revers, mais s'en distingue par une décélération du mouvement juste avant le contact avec le volant. Lorsqu'un joueur ne possède pas un bon dégagé du revers, l'adversaire peut facilement anticiper un retour en amorti.

Phase préparatoire ❶

- Effectuer les déplacements appropriés (voir, dans le chapitre 3, les fiches 27 et 28 sur les déplacements arrière côté revers).
- Utiliser la prise de raquette de revers.
- Soulever le pied dominant et l'orienter à 45 degrés, en direction de la ligne de fond, et tourner le dos au filet.
- Supporter le poids du corps à l'aide de la jambe non dominante.
- Incliner légèrement le tronc vers l'avant.
- Lever le coude dominant et le placer devant soi, à la hauteur des épaules, l'avant-bras en pronation.
- Orienter la raquette vers le sol.

Phase d'exécution ❷

- Effectuer une poussée de la jambe non dominante puis une extension de tout le corps en direction du filet. Au même moment, abaisser rapidement la jambe dominante.
- Projeter le coude dominant vers le haut.
- Effectuer une rotation des épaules dans le sens horaire (pour un droitier).
- Simultanément, procéder à une extension du bras.
- Faire une supination de l'avant-bras.
- Juste avant l'impact, ralentir le mouvement du bras, bloquer la supination de l'avant-bras et incliner légèrement la raquette vers l'avant.
- Frapper le volant alors qu'il est au-dessus du niveau de la tête, mais sur le côté par rapport à l'axe du corps.

Phase finale ❸

- Bloquer le geste immédiatement après l'impact.
- Effectuer une poussée de la jambe dominante afin de pivoter pour revenir en position centrale.

LES COUPS À MI-HAUTEUR

FICHE 15 — LE DRIVE DU COUP DROIT ET DU REVERS

Le **drive** est un coup vif qui est frappé devant le joueur ou sur le côté du corps, à la hauteur de la tête environ, et qui est généralement dirigé vers les lignes de côté, dans le dernier tiers du terrain adverse. Il donne au volant une trajectoire horizontale ou légèrement descendante, le faisant passer près du filet. Il s'agit d'un coup offensif que l'on utilise afin de surprendre l'adversaire. En coup droit, le mouvement ressemble à celui du lancer de côté au baseball ; en revers, il ressemble au lancer traditionnel du frisbee.

Phase préparatoire ➊

■ Utiliser la prise universelle (drive du coup droit) ou la prise de revers (drive du revers).

■ Orienter le pied dominant et la raquette en direction du volant.

■ Effectuer une **fente avant ou latérale** de grande amplitude (poser le talon du pied dominant au sol afin de freiner le mouvement du corps) (voir, dans le chapitre 3, les fiches 21 et 22 sur les déplacements avant côté coup droit et côté revers).

■ En coup droit, amener la raquette sur le côté du corps, le bras en flexion et l'avant-bras en supination.

■ En revers, amener la raquette sur le côté opposé, le bras en flexion et l'avant-bras en pronation.

Phase d'exécution ➋

■ Exécuter une légère rotation des épaules.

■ Effectuer une légère extension du bras dominant et une pronation de l'avant-bras (drive du coup droit).

■ Effectuer une extension du bras dominant et une supination de l'avant-bras (drive du revers).

■ Faire contact avec le volant le plus haut possible, devant soi ou sur le côté du corps.

Phase finale ➌

■ Terminer le mouvement du côté opposé, vis-à-vis de l'épaule non dominante (drive du coup droit).

■ Terminer le mouvement du côté opposé, vis-à-vis de l'épaule dominante (drive du revers).

Des photos du revers sont présentées en annexe, à la page 143.

FICHE 16   L'ATTAQUE AU FILET DU COUP DROIT ET DU REVERS

L'attaque au filet (aussi connue sous son nom anglais de *rush*) est un coup demandant un mouvement court et vif, s'exécutant de la partie avant. Pour l'exécuter, on doit bondir sur le volant et le rabattre rapidement dans le territoire adverse. Après être passé près du filet, sa trajectoire est courte et en piqué, le volant passant près de la bande supérieure du filet et touchant le sol derrière la ligne de service court adverse. En double, lorsqu'une équipe est en position offensive, le joueur avant l'utilise beaucoup en vue de mettre fin aux échanges en rabattant de mauvais retours (comme un service trop haut, un coup au filet trop haut, etc.). Il est préférable d'attaquer en parallèle, car un tel coup pratiqué en croisé ouvre le terrain à l'adversaire. Ce coup peut s'exécuter aussi bien en coup droit qu'en revers.

Phase préparatoire ❶

- Utiliser la prise raccourcie (voir la fiche 3).
- Tenir la raquette à la hauteur de la tête, devant soi, le bras fléchi.
- Placer les épaules parallèlement au filet.
- Bondir vers le volant, puis freiner l'élan du corps vers l'avant à l'aide d'une fente avant en posant le talon au sol.

Phase d'exécution ❷

- Effectuer une légère extension du bras dominant et enchaîner avec une pronation de l'avant-bras (coup droit).
- Effectuer une légère extension du bras dominant et enchaîner avec une supination de l'avant-bras ou une **flexion** latérale du poignet (coup du revers).
- Frapper le volant devant soi en inclinant la tête de raquette de façon marquée.

Phase finale ❸

- Terminer le mouvement de raquette à la hanche. Si vous êtes trop près du filet, bloquer votre mouvement afin de ne pas y toucher.
- Effectuer une poussée de la jambe dominante afin de se repositionner.

Des photos du revers sont présentées en annexe, à la page 143.

LES COUPS PAR EN DESSOUS

FICHE 17   LE COUP AU FILET DU COUP DROIT ET DU REVERS

Le **coup au filet** est un coup joué par en dessous, à partir de la zone avant et dont la trajectoire est basse et très courte. Sa précision est essentielle, car le volant doit passer juste au-dessus du filet pour retomber le plus près possible de celui-ci. Bien exécuté, ce coup oblige souvent l'adversaire à relever le volant. On le pratique aussi bien en coup droit qu'en coup du revers (voir p. 144).

On utilise le coup au filet en réponse à un amorti ou à un autre coup au filet ; il peut aussi s'avérer utile comme retour de service. Il est important de frapper le volant alors que ce dernier est le plus haut possible, afin d'accroître son angle d'attaque et de diminuer le temps de réaction de l'adversaire. Le plus difficile est d'apprendre à bien absorber une partie de l'énergie du volant. Pour ce faire, différents mouvements peuvent être exécutés au moment de la frappe. Le plus important, c'est de caresser le volant ! Celui que nous vous présentons exige d'effectuer une pronation (coup droit) ou une supination (coup du revers) lors du contact afin de faire basculer le volant par-dessus le filet. Il est également possible de faire un mouvement en « J » de haut en bas avec la raquette.

Phase préparatoire ❶
- Tenir la raquette à la hauteur de la poitrine, le bras légèrement fléchi.
- Effectuer une fente avant avec la jambe dominante (voir, dans le chapitre 3, les fiches 21 et 22 sur les déplacements avant, côté coup droit et côté revers).
- Garder le tronc droit.
- Fléchir la jambe dominante après avoir posé le talon au sol pour arrêter le mouvement du corps vers le filet.

Phase d'exécution ❷
- Effectuer une légère extension du bras dans un mouvement horizontal.
- Frapper le volant alors qu'il est à son plus haut (ne pas le laisser descendre), la tête de la raquette plus haute que la main.
- Effectuer une pronation rapide et/ou faire pivoter la raquette entre les doigts, mais en douceur afin de faire passer le volant de l'autre côté du filet (coup droit).
- Effectuer une supination rapide et/ou faire pivoter la raquette entre les doigts, mais en douceur afin de faire passer le volant de l'autre côté du filet (coup du revers).
- Au moment du contact avec le volant, incliner la face de la raquette d'environ 45 degrés par rapport au sol.

Phase finale ❸
- Arrêter la course de la raquette alors qu'elle est près du filet et parallèle au sol.
- Effectuer une poussée de la jambe dominante afin de revenir au centre du terrain.

Le poids du corps devrait reposer principalement sur la jambe dominante.

FICHE 18   LE LOB DU COUP DROIT

Le **lob** est un coup joué par en dessous, à partir de la zone avant et dont la trajectoire est en hauteur et en profondeur. Son objectif est le couloir de fond adverse. On l'utilise en réponse à un amorti ou à un coup au filet. Il existe deux types de lobs, le défensif et l'offensif, qui se distinguent par leur trajectoire. Celle du lob défensif, que l'on utilise en vue de reprendre sa position centrale, est très haute. Celle du lob offensif, que l'on utilise pour repousser l'adversaire profondément dans son territoire, pour le prendre par surprise ou pour diminuer son temps de réaction, est plus basse et plus tendue.

Phase préparatoire ❶

- Amener la raquette vers l'arrière, parallèlement au sol, le bras en légère extension et l'avant-bras en supination.
- Orienter le corps dans la direction du déplacement et effectuer une fente avant avec la jambe dominante (voir, dans le chapitre 3, les fiches 21 et 22 sur les déplacements avant, côté coup droit et côté revers).
- Garder le tronc droit et le bras non dominant à l'arrière afin de maintenir le corps en équilibre.

Phase d'exécution ❷

- Effectuer un mouvement de balancier avec le bras dominant, vers l'avant et de bas en haut, en commençant derrière le corps et en effectuant simultanément une rotation des épaules.
- Juste avant l'impact, effectuer une pronation vive et prompte de l'avant-bras.
- Frapper le volant alors qu'il est à son plus haut (ne pas le laisser descendre).

Phase finale ❸

- Fléchir l'avant-bras après l'impact.
- Terminer le geste avec la raquette au-dessus de l'épaule non dominante, les jointures de la main dominante près du visage.
- Effectuer une poussée de la jambe dominante afin de revenir au centre du terrain.

Le poids du corps devrait reposer principalement sur la jambe dominante.

FICHE 19   LE LOB DU REVERS

Le lob du revers partage la trajectoire, les objectifs et la raison d'être du lob du coup droit. Il ne s'en distingue que par certains éléments de son exécution technique.

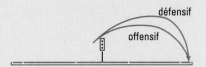

Phase préparatoire ①

■ Utiliser la prise du revers.

■ Amener la raquette vers l'arrière, parallèlement au sol, le bras en légère flexion et l'avant-bras en pronation, près du corps.

■ Orienter le corps dans la direction du déplacement et effectuer une fente avant avec la jambe dominante (voir, dans le chapitre 3, les fiches 21 et 22 sur les déplacements avant, côté coup droit et côté revers).

■ Garder le tronc droit.

Phase d'exécution ②

■ Effectuer un mouvement de balancier avec le bras dominant, vers l'avant et de bas en haut, en commençant derrière le corps et en effectuant simultanément une rotation des épaules et une légère extension du bras.

■ Juste avant l'impact, effectuer une supination explosive de l'avant-bras.

■ Frapper le volant alors qu'il est à son plus haut (ne pas le laisser descendre).

Phase finale ③

■ Arrêter la course de la raquette alors qu'elle est très haute et devant soi.

■ Effectuer une poussée de la jambe dominante afin de revenir au centre du demi-terrain.

Le poids du corps devrait reposer principalement sur la jambe dominante.

FICHE 20   LE RETOUR DE SMASH DU COUP DROIT ET DU REVERS

Le **retour de smash** (pour les joueurs de niveau intermédiaire ou avancé) est un coup à basse altitude que l'on exécute de la partie centrale du terrain afin de répliquer à des attaques puissantes de l'adversaire. Il s'agit d'un coup défensif effectué sous pression, pour lequel on dispose de très peu de temps pour se déplacer (la phase préparatoire est ainsi quasiment inexistante). On exécute la majorité des retours de smash du revers, ce côté permettant une meilleure protection du corps, des mouvements courts et explosifs et la défense d'une plus grande surface de jeu.

Il existe trois types de retours de smash : le retour haut et profond, le retour au filet et le retour tendu. Le retour haut et profond a pour objectif le couloir de fond et sert à repousser l'adversaire et à se donner le temps de bien se positionner en vue du coup suivant. Le retour au filet est un retour à basse altitude qui a pour objectif la partie avant du terrain adverse. Bien effectué, il neutralise l'attaque de l'adversaire en le prenant de vitesse, en le déstabilisant et en le contraignant à relever le volant. Le retour tendu consiste quant à lui à renvoyer le volant profondément, près d'une ligne de côté, avec une trajectoire basse et rapide. On l'utilise pour repousser l'adversaire profondément dans son territoire, pour le prendre par surprise et pour lui enlever du temps de réaction.

Le retour haut et profond et le retour tendu commandent un geste du bras qui s'apparente beaucoup à celui du lob. Avant l'impact, le bras s'avance et s'élève, puis l'avant-bras effectue une rotation très vive. Le retour au filet, quant à lui, demande d'orienter la raquette dans la trajectoire du volant et de bloquer le smash en absorbant une partie de sa force, un peu comme pour un coup au filet.

Les déplacements s'effectuent à l'aide de pas classiques. Ces coups requièrent une fente avant ou latérale avec la jambe dominante. Exceptionnellement, il arrive que le joueur soit contraint à une fente latérale avec la jambe non dominante, lorsqu'il est mis sous pression extrême.

Tous les types de retours de smash ont la même phase préparatoire.

haut et profond
tendu
au filet

Phase préparatoire ❶

- Utiliser la prise de revers si l'on joue du côté revers.
- Adopter une position de base plus combative que d'habitude.
- Fléchir et écarter les jambes davantage que pour les autres coups.
- Tenir la raquette devant le corps, à la hauteur de l'abdomen, et l'orienter légèrement du côté du revers.
- Amener le corps et la raquette du côté du coup à jouer.

RETOUR HAUT ET PROFOND ET RETOUR TENDU

Phase d'exécution ❷

- Faire une rotation des épaules dans la direction du coup à jouer.
- Avant l'impact, avancer et élever le bras, puis faire une rotation très vive de l'avant-bras.
- Faire une supination (coup du revers) ou une pronation (coup droit).
- Faire contact avec le volant le plus haut possible devant soi.

Phase finale ❸

- Terminer la course de la raquette devant soi, à la hauteur de la tête, la tête de la raquette étant orientée en direction de l'envoi (coup du revers).
- Terminer la course de la raquette devant soi, à la hauteur de la tête, la tête de la raquette étant vis-à-vis de l'épaule non dominante (coup droit).

RETOUR AU FILET

Phase d'exécution

- Faire une rotation des épaules dans la direction du coup à jouer.
- Orienter la raquette vers la trajectoire du volant.
- Bloquer le smash en absorbant une partie de sa force.
- Faire contact avec le volant le plus haut possible devant soi.

Phase finale

- Bloquer le mouvement après l'impact.

Des photos du coup droit sont présentées en annexe, à la page 143.

 **RÉSUMÉ DES SERVICES ET DES COUPS**

Service court : Mise en jeu qui s'effectue de profil par rapport au filet, en frappant en coup droit. Sa trajectoire est courte et basse. Le volant doit passer le plus près possible du filet et tomber tout près de la ligne de service adverse. Bien effectué, ce service limite les possibilités de réponse de l'adversaire, ce dernier devant faire un retour dont la trajectoire sera nécessairement ascendante.

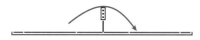

Service long : Mise en jeu qui s'effectue de profil par rapport au filet, en frappant en coup droit. Sa trajectoire est longue et très haute pour obliger le receveur à reculer et donner au serveur du temps pour réagir. Elle peut être longue et rapide, dans le cas d'un service long tendu, pour surprendre l'adversaire. Le volant doit tomber dans le couloir de fond.

Service court asiatique : Mise en jeu qui s'effectue face au filet, en frappant du revers. Sa trajectoire est courte et basse. Le volant doit passer le plus près possible du filet et tomber tout près de la ligne de service adverse. Bien effectué, ce service limite les possibilités de réponse de l'adversaire, ce dernier devant faire un retour dont la trajectoire sera nécessairement ascendante.

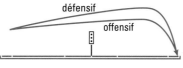

Dégagé : Coup frappé au-dessus de la tête que l'on effectue de la zone arrière et dont la trajectoire est en hauteur et en profondeur. Le volant franchit toute la longueur du terrain pour tomber dans le couloir de fond. Ce coup vise à repousser l'adversaire au fond de son demi-terrain.

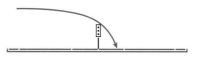

Amorti : Coup frappé au-dessus de la tête que l'on effectue de la zone arrière et dont la trajectoire est basse et descendante. Le volant doit tomber près du filet dans le demi-terrain adverse. Ce coup vise à surprendre l'adversaire et à l'obliger à relever le volant.

Smash : Coup offensif le plus puissant au badminton, frappé au-dessus de la tête et dont la trajectoire est en piqué. Ce coup vise à mettre fin à l'échange ou à mettre l'adversaire sous pression.

Dégagé du revers : Coup frappé au-dessus de la tête, du côté non dominant, que l'on exécute de la zone arrière et dont la trajectoire est en hauteur et en profondeur. Le volant franchit toute la longueur du terrain pour tomber dans le couloir de fond. Ce coup vise à repousser l'adversaire au fond de son demi-terrain.

Amorti du revers : Coup frappé au-dessus de la tête, du côté revers, que l'on exécute de la zone arrière et dont la trajectoire est basse et descendante. Le volant doit tomber près du filet dans le demi-terrain adverse. Ce coup vise à surprendre l'adversaire et à l'obliger à relever le volant.

Drive : Coup puissant joué à la hauteur de la tête, dont la trajectoire est basse et tendue. Après être passé près du filet, le volant doit tomber à l'arrière du demi-terrain adverse. Ce coup vise à surprendre l'adversaire et à le mettre sous pression.

Attaque au filet : Coup vif que l'on exécute à la hauteur de la tête, à partir de la zone avant. Sa trajectoire est courte et en piqué ; le volant passe près de la bande supérieure du filet et touche le sol derrière la ligne de service court adverse. On l'utilise pour mettre fin à un échange en rabattant des retours trop hauts.

Coup au filet : Coup joué par en dessous, à partir de la zone avant et dont la trajectoire est très courte. Le volant doit passer juste au-dessus du filet et retomber le plus près possible de ce dernier. Ce coup vise à forcer l'adversaire à relever le volant.

Lob : Coup qui est joué par en dessous, à partir de la zone avant, et dont la trajectoire est en hauteur et en profondeur. Le volant doit tomber dans le couloir de fond. Il vise à repousser l'adversaire au fond de son demi-terrain.

défensif

offensif

Retour de smash : Coup à basse altitude qui est effectué à partir de la zone centrale du terrain et que l'on utilise pour rediriger les attaques puissantes de l'adversaire. Il s'agit d'un coup défensif à pratiquer quand on est mis sous pression. Il en existe trois types : le retour haut et profond, le retour tendu et le retour au filet.

haut et profond

tendu

au filet

CHAPITRE 3

LES DÉPLACEMENTS

Comme vous le savez sans doute, le badminton est avant tout un sport de déplacements. Ce chapitre traite donc en détail des différents déplacements qu'il est essentiel d'apprendre et d'améliorer pour accroître la qualité et l'efficacité de son jeu, et ce, à tous les niveaux.

Des déplacements adéquats permettent de couvrir l'espace de jeu plus rapidement, d'accroître sa stabilité et de frapper le volant à une hauteur optimale, ce qui améliore les angles d'attaque et, ce faisant, la précision, la puissance et la qualité des coups pouvant être exécutés. Ils limitent également les situations de déséquilibre, contribuant par conséquent à diminuer les mauvais retours. On peut ainsi renvoyer de manière plus adéquate les coups de l'adversaire, même les mieux réussis. De plus, faire les bons pas permet d'en faire moins, ce qui se traduit par une économie d'énergie.

D'un point de vue stratégique, des déplacements adéquats permettent une bonne lecture du jeu de l'adversaire et accentuent la pression qu'il ressent, en diminuant son temps de réaction. Ils aident à être attentif à la qualité des gestes techniques que l'on exécute ; on a ainsi le loisir de perfectionner ces derniers et d'apprendre à masquer ses coups et à feinter.

LES ÉLÉMENTS ESSENTIELS À MAÎTRISER

Avant d'étudier les particularités de chaque type de déplacement, prenez le temps de vous familiariser avec les quelques conseils et considérations techniques générales qui suivent. Ils vous aideront à progresser rapidement.

▶ Après chaque coup, revenez en position centrale et adoptez la posture de base. Bien entendu, ce n'est pas toujours possible. Ce qui importe, c'est au moins de vous immobiliser juste avant le coup de l'adversaire, pour éviter de vous faire prendre à contre-pied. Il vaut mieux effectuer un long déplacement que changer de direction alors qu'on est déjà en mouvement.

▶ Vous devez toujours effectuer le dernier pas précédant le coup sur la jambe dominante, quelles que soient la direction et la longueur du déplacement.

▶ Déplacez-vous rapidement afin de jouer le volant le plus tôt et le plus haut possible.

▶ Orientez votre corps dans la direction du déplacement à effectuer.

▶ Soyez stable au moment de frapper : ayez les deux pieds au sol et mettez fin au déplacement en effectuant un blocage avec la jambe dominante, avant de frapper le volant. Le contrôle de l'équilibre corporel est très important.

▶ Effectuez des pas d'ajustement pour bien vous positionner par rapport au volant. Frappez le volant lorsqu'il est devant vous, avec le bras dominant en extension, afin de transmettre un maximum de puissance. Pour y arriver, vous devrez tantôt vous rapprocher du volant, tantôt vous en éloigner.

▶ Pour un même déplacement, le nombre de pas à effectuer peut varier d'un individu à l'autre. Il dépend de la taille du joueur, de sa souplesse, de sa puissance et de sa technique de déplacement. Par ailleurs, il varie aussi selon le temps dont vous disposez et la distance que vous devez parcourir.

▶ Avant même d'entreprendre un déplacement, observez bien les gestes et les mouvements de votre adversaire. La position de son corps, la manière dont il tient sa raquette et l'endroit où il se trouve sur le terrain en disent beaucoup sur le coup qu'il va exécuter. Il en va de même de la précision et de la hauteur du retour. Il faut d'ailleurs toujours garder un œil sur le volant. Ne bougez pas avant de connaître sa trajectoire.

LE SAUT DE DÉMARRAGE
(joueur intermédiaire et avancé)

Figure 15
Saut de démarrage.

Avant chaque déplacement, nous vous recommandons d'effectuer un saut de démarrage (figure 15). Il s'agit d'un petit saut (de 5 à 10 cm) que l'on fait au moment où l'adversaire s'apprête à frapper le volant. Il permet de mobiliser tous les muscles sollicités lors des déplacements et assure une bonne impulsion. Pendant l'envol, analysez le jeu de votre adversaire afin de déduire quel type de coup il va exécuter. Au moment de reprendre appui au sol, assurez-vous que vos pieds sont orientés de manière à effectuer le déplacement désiré. Il est important de faire le bon choix, car une mauvaise orientation fait perdre du temps et rend le déplacement suivant difficile.

LES PAS

Le badminton compte trois types de pas de base : les pas courus, les pas chassés et les pas croisés. Ils permettent au joueur de se mouvoir dans toutes les directions. Le nombre de pas à faire pour atteindre le volant varie sans cesse pendant un échange ; c'est pourquoi nous exposons les différents déplacements en un, deux ou trois pas. Parlant des déplacements, nous les classons en trois catégories qui tiennent compte de la zone qu'ils permettent de couvrir : déplacements vers l'avant, déplacements latéraux et déplacements vers l'arrière.

Les **pas courus** sont semblables à ceux de la marche et de la course. Les pieds sont parallèles, et il suffit de les appuyer au sol en alternance. On utilise surtout ces pas lors d'un déplacement vers l'avant ou d'un retour au centre consécutif à un déplacement vers l'arrière.

Les **pas chassés**, quant à eux, se pratiquent de la manière suivante : à la suite d'un pas de la jambe dominante, le pied non dominant glisse au sol pour aller rejoindre et chasser le pied dominant. On peut recourir à ces pas pour se déplacer dans n'importe quelle direction. Les joueurs débutants les préfèrent souvent aux pas croisés, plus difficiles à maîtriser.

Les **pas croisés**, enfin, se font ainsi : à la suite d'un pas de la jambe dominante, le pied non dominant passe devant ou derrière le pied dominant de manière à ce que les jambes se croisent. Bien exécutés, les pas croisés sont généralement plus efficaces que les pas chassés. On les utilise pour les déplacements du côté dominant, dans toutes les directions.

Le recours à l'un ou à l'autre pas dans une situation donnée peut évoluer au fur et à mesure de l'amélioration de votre niveau de jeu. Utilisez des pas chassés ou des pas croisés pour reculer. Les pas croisés sont plus efficaces, mais plus difficiles à maîtriser.

Si vous êtes débutant, commencez par apprendre les déplacements vers l'avant et les déplacements latéraux en deux pas. Ces derniers sont plus simples que les déplacements en trois pas et permettent d'atteindre la majorité des volants s'approchant du filet. De plus, ils contribuent à l'adoption d'une excellente posture. Quant aux déplacements vers l'arrière, attardez-vous seulement à ceux du centre et du côté du coup droit qui exigent trois pas (les déplacements vers l'arrière du côté revers sont plutôt pour les joueurs expérimentés).

Si vous êtes un joueur avancé, vous pourrez être intéressé par d'autres types de déplacements présentés sur le Compagnon Web.

Légende des schémas des déplacements

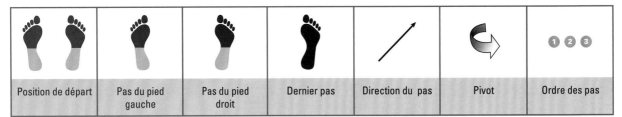

| Position de départ | Pas du pied gauche | Pas du pied droit | Dernier pas | Direction du pas | Pivot | Ordre des pas |

Remarque : Les déplacements sont illustrés pour les droitiers. Si vous êtes gaucher, il vous suffit de les effectuer du côté opposé.

LES DÉPLACEMENTS VERS L'AVANT

On pratique les déplacements vers l'avant pour se diriger vers la zone adjacente au filet. Comme nous l'avons vu, le dernier pas doit toujours se terminer par un blocage de la jambe dominante, avec une **fente avant** dans le cas d'un déplacement vers l'avant. Pour ce faire, déposez le talon du pied dominant au sol puis bloquez la jambe dominante en pliant le genou à 90 degrés ou plus, que ce soit pour un coup droit ou pour un coup du revers. Vous pourrez ainsi atteindre le volant rapidement, être dans une position d'équilibre au moment de le frapper et, par la suite, revenir plus facilement en position centrale. Une fente de la jambe dominante permet d'augmenter l'amplitude de vos mouvements et vous évite des pas inutiles.

Essayez de garder le tronc droit au moment de la fente, bien que ce ne soit pas toujours possible. Lorsque vous serez sous pression ou en retard sur le volant, vous serez contraint d'augmenter l'ampleur de la fente et, par conséquent, de vous pencher vers l'avant en faisant glisser votre pied non dominant au sol.

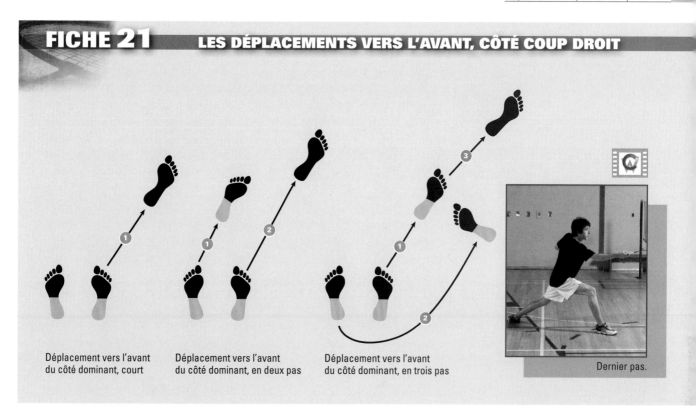

FICHE 21 — LES DÉPLACEMENTS VERS L'AVANT, CÔTÉ COUP DROIT

Déplacement vers l'avant
du côté dominant, court

Déplacement vers l'avant
du côté dominant, en deux pas

Déplacement vers l'avant
du côté dominant, en trois pas

Dernier pas.

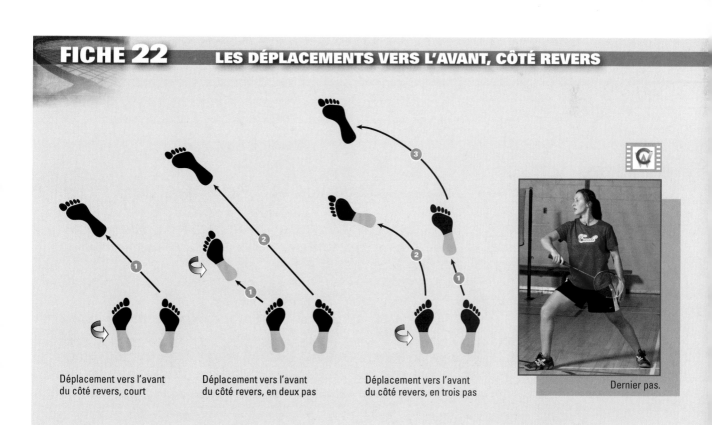

FICHE 22 — LES DÉPLACEMENTS VERS L'AVANT, CÔTÉ REVERS

Déplacement vers l'avant
du côté revers, court

Déplacement vers l'avant
du côté revers, en deux pas

Déplacement vers l'avant
du côté revers, en trois pas

Dernier pas.

LES DÉPLACEMENTS LATÉRAUX

On pratique les déplacements latéraux pour se diriger vers les zones du terrain situées près des lignes de côté. Comme nous l'avons vu, le pas qui précède le coup doit toujours se faire sur la jambe dominante, avec une **fente latérale** dans le cas d'un déplacement latéral. Pour ce faire, que ce soit pour un coup droit ou pour un coup du revers, déposez le talon du pied dominant au sol puis bloquez la jambe dominante en pliant le genou à 90 degrés ou plus, le pied pointant vers la ligne de côté. Vous pourrez ainsi atteindre le volant rapidement, être en position d'équilibre au moment de le frapper et, par la suite, revenir plus facilement en position centrale.

FICHE 23   LES DÉPLACEMENTS LATÉRAUX, CÔTÉ COUP DROIT

Dernier pas.

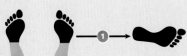

Déplacement latéral du côté dominant, en un pas

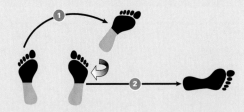

Déplacement latéral du côté dominant, en deux pas

FICHE 24   LES DÉPLACEMENTS LATÉRAUX, CÔTÉ REVERS

Dernier pas.

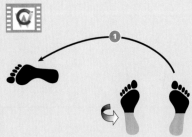

Déplacement latéral du côté revers, en un pas

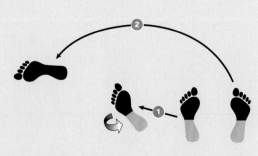

Déplacement latéral du côté revers, en deux pas

LES DÉPLACEMENTS VERS L'ARRIÈRE

On pratique les déplacements vers l'arrière pour se diriger vers la zone la plus reculée du terrain. Comme nous l'avons vu, un déplacement doit toujours se terminer par un blocage ou par une fente de la jambe dominante. Cela freine l'élan du corps vers l'arrière et amorce un transfert de poids vers l'avant.

FICHE 25 — LE DÉPLACEMENT VERS L'ARRIÈRE AU CENTRE, EN TROIS PAS

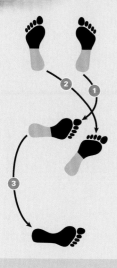

Exécution

1 Amener le pied dominant vers l'arrière, le placer parallèlement à la ligne de fond.

2 Effectuer un pas croisé vers l'arrière en faisant passer la jambe non dominante devant le pied dominant.

3 Amener le pied dominant vers l'arrière en le maintenant parallèle à la ligne de fond pour effectuer le blocage. Par la suite, la jambe dominante peut débuter sa poussée vers l'avant pour amorcer le transfert de poids.

Avec saut et inversion des pieds

Les joueurs intermédiaires et avancés peuvent exécuter un saut avec inversion des pieds à la suite du blocage, au lieu de faire un transfert de poids vers l'avant.

Dans ce cas, il faut sauter verticalement 1 et intervertir les positions de la jambe dominante et de la jambe non dominante. Ensuite, on reprend appui au sol en arrière avec la jambe non dominante (le pied parallèle à la ligne de fond) et en avant avec la jambe dominante 2 . Ce saut permet d'exécuter des coups puissants, car tout le corps participe au mouvement par une rotation dans les airs. De plus, il favorise le repositionnement au centre.

FICHE 26

LE DÉPLACEMENT VERS L'ARRIÈRE, CÔTÉ COUP DROIT, EN TROIS PAS

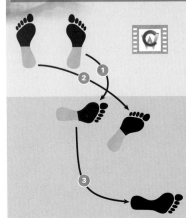

Pour bien visualiser le déplacement, se reporter aux photos de la fiche 25, car les pas sont les mêmes, à la différence près qu'ils s'effectuent ici en diagonale et sur le côté.

Exécution

1 Amener le pied dominant vers l'arrière ; le placer parallèlement à la ligne de fond.

2 Effectuer un pas croisé vers l'arrière, en diagonale, en faisant passer la jambe non dominante devant la jambe dominante.

3 Amener le pied dominant vers l'arrière, en diagonale, en le maintenant parallèle à la ligne de fond, pour effectuer le blocage. Par la suite, la jambe dominante peut commencer sa poussée vers l'avant pour amorcer le transfert de poids.

Avec saut et inversion des pieds

Tout comme pour le déplacement vers l'arrière et au centre, les joueurs intermédiaires et avancés peuvent exécuter un saut avec inversion des pieds après le blocage, au lieu de faire un transfert de poids vers l'avant (voir la description de la fiche 25).

FICHE 27

LES DÉPLACEMENTS VERS L'ARRIÈRE, CÔTÉ REVERS

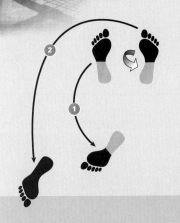

EN DEUX PAS

Exécution

1 Faire un pas en diagonale vers l'arrière à l'aide du pied non dominant en **pivotant** sur le pied dominant, pour se retrouver *dos au filet*.

2 Après le coup, abaisser rapidement la jambe dominante en effectuant une fente, le pied orienté vers la ligne de fond à 45 degrés.

EN TROIS PAS

Exécution

1. Faire un pas en diagonale vers l'arrière à l'aide du pied dominant en pivotant sur le pied non dominant, pour se retrouver *dos au filet*.
2. Faire un pas couru de la jambe non dominante.
3. Après le coup, abaisser rapidement la jambe dominante en effectuant une fente, le pied orienté vers la ligne de fond à 45 degrés.

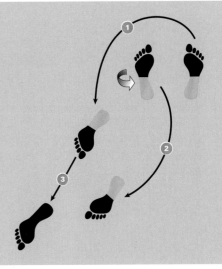

FICHE 28

LES DÉPLACEMENTS VERS L'ARRIÈRE, CÔTÉ REVERS, POUR JOUER EN COUP DROIT

(pour joueurs intermédiaires et avancés)

EN DEUX PAS

Exécution

1. Faire un pas chassé vers l'arrière avec le pied dominant orienté vers le côté du revers.
2. Effectuer un pas croisé en diagonale vers l'arrière à l'aide de la jambe non dominante en pivotant sur le pied dominant. Au moment de reprendre appui sur le pied non dominant, faire pivoter ce dernier pour qu'il effectue une poussée vers l'avant.

EN TROIS PAS

Exécution

1. Faire un pas en diagonale vers l'arrière avec le pied non dominant.
2. Effectuer un pas vers l'arrière avec le pied dominant en pivotant sur le pied non dominant.
3. Effectuer un pas croisé vers l'arrière à l'aide de la jambe non dominante après avoir frappé le volant, en pivotant sur le pied dominant. Au moment de reprendre appui sur le pied non dominant, faire pivoter ce dernier pour qu'il effectue une poussée vers l'avant.

Avec saut et inversion des pieds

Tout comme pour le déplacement vers l'arrière centre, il est possible d'exécuter un saut avec inversion des pieds pour jouer des coups au-dessus de la tête (voir la description de la fiche 25).

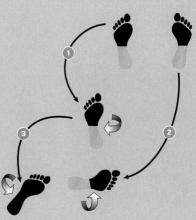

LES TACTIQUES

Dans ce chapitre, nous abordons les tactiques que l'on peut adopter au badminton, en simple comme en double. Qu'entendons-nous par tactique ? Il s'agit de l'art de prendre de bonnes décisions et de mener une bataille en utilisant ses forces de manière efficace tout en exploitant les faiblesses de l'adversaire. Pour bien y arriver, vous devez analyser son jeu, coordonner vos actions et manœuvrer habilement afin de le mettre en difficulté. De plus, vous devez protéger vos points faibles et chercher à neutraliser votre opposant.

Pour améliorer votre efficacité tactique, vous devez développer les techniques des divers coups et déplacements. Vos limites tactiques sont déterminées par votre niveau de maîtrise technique. Étroitement liés, ces deux aspects doivent évoluer de concert. Maîtrisant un grand nombre de coups, sachant feinter et pouvant se déplacer très rapidement, les joueurs avancés possèdent un éventail tactique beaucoup plus grand que les débutants. C'est pourquoi ils doivent se fixer des objectifs tactiques en lien avec leur niveau d'habileté.

L'utilisation efficace des tactiques de base passe par la compréhension et l'application de principes fondamentaux. Dans les pages qui suivent, nous traitons de l'analyse de l'adversaire et des tactiques de base, ainsi que des positions et des types de service et de réception. Nous vous donnons aussi quelques conseils pour accroître votre efficacité.

LES TACTIQUES EN SIMPLE

L'analyse de l'adversaire

Le simple est ni plus ni moins qu'un duel entre deux adversaires. Les deux opposants doivent sans cesse s'attaquer mutuellement tout en défendant leurs territoires respectifs. Dans ce contexte, un joueur ne peut compter que sur lui-même. Il est donc important de bien évaluer son adversaire, d'en connaître les forces pour les vaincre, et les faiblesses pour les exploiter. Réciproquement, il doit jouer en exploitant ses propres forces et en protégeant ses faiblesses.

Avant même le début d'une partie, vous devez avoir pris connaissance de certaines caractéristiques de votre adversaire. Est-il gaucher ou droitier ? Se déplace-t-il rapidement et avec aisance ? Joue-t-il avec puissance ? avec finesse ? Possède-t-il un bon revers ? Est-il en bonne condition physique ? Où se place-t-il sur le terrain ? Les réponses à ces questions (et à d'autres) vous aideront à établir votre tactique de jeu.

Les tactiques de base

En simple, la surface de terrain à protéger est relativement grande. Pour bien couvrir tout l'espace de jeu, vous devez vous déplacer rapidement, dans toutes les directions. Pour ce faire, vous devez reprendre votre position au centre du terrain après chaque coup et adopter la posture de base (voir la fiche 5). Si vous n'avez pas le temps de le faire, immobilisez-vous avant que votre adversaire frappe, pour éviter qu'il vous surprenne à contre-pied.

Apprenez à jouer en envisageant le demi-terrain adverse dans sa longueur plutôt que dans sa largeur. Il est important que vous sachiez exploiter tout cet espace de jeu, du filet au couloir de fond. Comme il est plus difficile de se déplacer vers l'arrière que dans toute autre direction, une telle tactique a pour effet de fatiguer l'adversaire et de le contraindre à exécuter des coups moins précis et moins menaçants. Si vous n'adoptez pas cette méthode, vous facilitez la tâche au joueur adverse en réduisant la zone qu'il a à protéger ; il peut alors sans difficulté la couvrir et anticiper le retour.

Si vous n'arrivez pas à diriger le volant jusqu'au couloir de fond, évitez toutefois de le renvoyer au centre du terrain par des dégagés ou des lobs trop courts. Privilégiez les trajectoires à basse altitude, près du filet et des lignes de côté. Obligez votre adversaire à se déplacer sur toute la largeur du terrain. Si celui-ci n'a pas besoin de se déplacer pour frapper, cela signifie que vous avez effectué un mauvais retour.

Comme nous l'avons vu au chapitre 2, la précision est beaucoup plus importante que la puissance. Apprenez ainsi à utiliser tout l'espace disponible en dirigeant le volant vers l'un des quatre coins du terrain. Visez les espaces libres en alternance afin de forcer continuellement votre opposant à changer de direction et à faire de longs déplacements. Cette tactique vise à l'épuiser, à l'obliger à effectuer de mauvais retours, à relever le volant, à lui faire prendre des risques et à lui faire prendre du retard sur le volant. Pour y arriver, il vous faudra exécuter une multitude de coups, varier le rythme du jeu et faire preuve de patience.

Pour varier le rythme du jeu, vous devez faire alterner les coups en puissance avec les coups plus lents, les trajectoires courtes avec les trajectoires longues, tendues, hautes et basses, ainsi que les directions parallèles avec les directions croisées. Vous devez aussi masquer vos coups et avoir recours à des feintes. Si vous êtes en difficulté, ralentissez le jeu en exécutant des retours hauts et profonds ; vous vous donnez ainsi du temps pour bien vous replacer. Si vous avez le contrôle de la situation, utilisez des coups tendus pour repousser votre adversaire ; il dispose ainsi de moins de temps pour se déplacer et est contraint à exécuter des coups alors qu'il est en déséquilibre ou en retard sur le volant.

Le revers du joueur adverse constitue généralement son point faible le plus important ; il ne faut donc pas hésiter à l'exploiter. Pour ce faire, forcez l'adversaire à frapper un coup de la zone avant, du côté dominant (amorti, coup au filet), afin de créer une ouverture au fond du terrain sur son revers.

Les services

Le choix du type de service est très important, car celui-ci a une incidence directe sur les coups qui suivent. Ce choix dépend des circonstances. Variez les services afin que l'adversaire ne puisse prédire celui pour lequel vous optez. Il est essentiel de prendre le temps d'observer et d'analyser l'attitude générale de l'adversaire avant de servir. Est-il alerte ? De quelle façon ses pieds sont-ils orientés ? Où est-il placé ? Quelles sont ses forces et ses faiblesses ?

En simple, privilégiez généralement le service long (figure 16, en vert) ; bien effectué, celui-ci est très difficile à évaluer par votre adversaire. La haute et longue trajectoire du volant ainsi que sa chute à la verticale obligent l'adversaire à reculer et font en sorte qu'il sait difficilement si le volant est en jeu ou non. Si vous optez pour un tel service, dirigez le volant vers la ligne médiane du couloir de fond, sans égard au côté où vous vous trouvez. Un service au centre limite les choix de réponse et l'efficacité de l'adversaire ; cela l'oblige à exécuter des coups dont la trajectoire est longue puisqu'il doit renvoyer le volant en évitant le serveur, placé au centre du terrain. Il sera contraint de frapper en direction de l'un des quatre coins de votre demi-terrain.

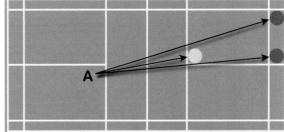

Figure 16   Trois types de services en simple.

Vous pouvez aussi faire un service long en direction de l'une des lignes de côté (figure 16, en rouge), afin de créer une ouverture de l'autre côté du terrain. Évitez néanmoins cette option lors d'un match contre un joueur de haut niveau, car un tel objectif permet au receveur d'exploiter la ligne en exécutant un coup offensif parallèle. Vous devez alors être attentif à un éventuel retour près de la ligne de côté, ce qui peut vous amener à négliger la possibilité d'un retour croisé.

Le service court (figure 16, en jaune) peut également être utilisé. Choisissez-le si vous souhaitez prendre à contre-pied un adversaire qui est mal positionné ou qui entreprend un déplacement prématuré vers l'arrière, ou encore si vous voulez empêcher un joueur qui possède un smash très puissant de vous attaquer. Les serveurs qui ont un smash très efficace aiment l'utiliser, car il force le receveur à relever le volant.

On utilise à l'occasion un autre type de service, le service rapide, qui s'effectue de la même façon que le service long, mais qui a une trajectoire différente. Il permet de surprendre l'adversaire et de changer le rythme de la partie. Évitez néanmoins d'y recourir contre un joueur rapide qui aime attaquer. L'exécution de ce service demande un bon contrôle et une grande précision, et les probabilités d'erreur sont beaucoup plus élevées.

La réception des services

La posture et la position en réception de service

Quand vous êtes receveur, placez-vous de manière à favoriser les retours du côté dominant. On doit éviter de frapper du revers. Les coups en revers sont plus difficiles à exécuter et sont généralement moins menaçants, en raison d'une perte de précision et de puissance par rapport au coup droit. Pour protéger votre revers si vous êtes droitier et que vous recevez de la zone droite, placez-vous près de la ligne médiane ; si vous êtes gaucher, placez-vous à un mètre de la ligne de côté (figure 17). Si vous êtes droitier et que vous recevez de la zone gauche, placez-vous à un mètre de la ligne de côté ; si vous êtes gaucher, placez-vous près de la ligne médiane. Votre position est fonction de votre taille, de votre vitesse et, surtout, de votre côté dominant (droitier ou gaucher).

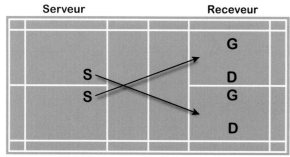

Figure 17   Position en réception de service.

FICHE 29 — **LA POSTURE ET LA POSITION EN RÉCEPTION DE SERVICE**

- Se placer de manière à protéger son revers (voir l'explication ci-dessus).
- Se placer à environ un mètre de la ligne de service court.
- Orienter le pied non dominant en direction de l'adversaire.
- Placer le pied dominant en arrière, parallèlement à la ligne de fond.
- Placer les épaules de manière à ce qu'elles fassent un angle d'environ 45 degrés par rapport au filet.
- Lever le coude à la hauteur des épaules.
- Fléchir légèrement le bras et tenir la raquette devant soi, la tête de la raquette légèrement plus haute que le filet.
- Faire reposer le poids du corps sur le devant des pieds.
- Fléchir les genoux.
- Incliner le tronc vers l'avant.

Les retours de service

Le retour de service compte parmi les coups les plus importants au badminton. Bien effectué, il permet de prendre l'avantage sur l'adversaire et de contrôler l'échange. Vous devez frapper le volant alors qu'il est au plus haut, et le faire le plus rapidement possible (évitez de le laisser descendre inutilement). L'objectif d'un bon retour de service est de prendre l'adversaire par surprise, de diminuer son temps de réaction, de le forcer à relever le volant et de limiter les retours possibles. Vous devez attaquer votre opposant en vue de le déséquilibrer, en tirant parti de ses faiblesses, sans quoi c'est lui qui reprendra l'offensive.

Le service long étant plus fréquent en simple, les deux types de retours les plus utilisés sont l'amorti et le dégagé offensif. La figure 18 présente les diverses réponses possibles à un service long, de la moins risquée (en vert) à la plus risquée (en rouge). Si vous êtes débutant, nous vous conseillons l'amorti près d'une ligne de côté (en vert), le dégagé offensif (en jaune), de préférence sur le revers de l'adversaire, le dégagé défensif (aussi en jaune), à n'utiliser que lors d'un retard ou d'un déséquilibre, et le smash près d'une ligne de côté (en rouge). Si vous êtes un joueur avancé, nous vous recommandons d'ajouter l'amorti coupé, le smash coupé, l'amorti brossé et le smash brossé à votre arsenal. Vous en trouverez une description sur le Compagnon Web de l'ouvrage. Vous devez diriger ces coups vers une ligne de côté.

La figure 19 présente les diverses réponses possibles à un service court, de la moins risquée (en vert) à la plus risquée (en rouge). Si vous êtes débutant, nous vous conseillons le **placement latéral mi-court**, près d'une ligne de côté (en vert), le drive dirigé dans le couloir de fond (en jaune), de préférence sur l'adversaire ou sur son revers, et le lob offensif ou défensif dirigé dans le couloir de fond (en jaune). Si vous êtes un joueur avancé, nous vous recommandons d'ajouter le coup au filet près d'une ligne de côté (en rouge) à votre panoplie.

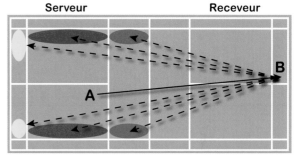

Figure 18 Réponses à un service long.

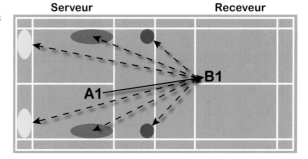

Figure 19 Réponses à un service court.

Quelques conseils pour accroître son efficacité en simple

▶ Atteignez le volant le plus rapidement possible. Vous aurez ainsi un plus grand choix de coups et d'angles d'attaque, vous serez plus stable au moment de procéder et vous serez en mesure de prendre l'adversaire de vitesse.

▶ Essayez de frapper du côté dominant le plus souvent possible. En plus d'être relativement facile à maîtriser, ce côté offre un plus grand choix de coups que le côté revers, et on peut les exécuter avec plus de puissance et de précision.

▶ Évitez les retours vers le centre du demi-terrain adverse.

▶ Ne relevez pas le volant inutilement. Utilisez des trajectoires tendues : elles rendent la riposte difficile et réduisent le temps de réaction de l'adversaire.

▶ Soyez patient ; n'essayez pas de conclure un échange trop rapidement. Restez concentré et gardez votre calme. Ne baissez jamais les bras.

▶ Soyez conscient de votre espace de jeu afin de bien juger les trajectoires du volant (en jeu ou à l'extérieur).

▶ Apprenez à utiliser le filet. En général, c'est le joueur qui se sert le mieux du filet qui gagne. Les coups dirigés près du filet sont difficiles à attaquer.

▶ Adoptez une attitude corporelle combative. L'adversaire doit craindre une attaque en puissance de votre part. Donnez-lui le moins d'indices possibles sur le coup que vous comptez faire. Feintez et masquez vos coups fréquemment.

▶ Si une tactique ne fonctionne pas, modifiez-la. Ne vous entêtez pas à utiliser une tactique qui ne fonctionne pas.

▶ Éviter de trop smasher, c'est épuisant. Le smash est certes une arme très utile, mais en simple, vous pouvez gagner en ne le pratiquant qu'à l'occasion. Les coups de base que vous devez maîtriser sont le service long, le dégagé, l'amorti, le lob et le coup au filet.

Pour aller plus loin...

L'autoprotection

L'autoprotection est la capacité de se protéger et de limiter la menace de l'adversaire. Si vous en connaissez les principes et que vous êtes en mesure de bien les appliquer, vous évitez ainsi de vous mettre dans l'embarras. Avant d'effectuer un coup, vous devez en évaluer les conséquences possibles, pour vous comme pour l'adversaire. Rappelez-vous que vous devez être en mesure de bien couvrir tout votre demi-terrain après avoir frappé le volant. Vous devez faire en sorte d'avoir toujours deux choix de jeux, voire plus, tout en limitant au maximum les possibilités de votre adversaire. Vous devez prendre avantage sur votre opposant, ou à tout le moins effectuer un retour sécuritaire afin de ne pas devenir vulnérable. La clé de l'autoprotection, c'est le bon jugement.

Pour bien vous autoprotéger, il vous faut tout d'abord protéger votre revers. De plus, exécutez de préférence les coups que vous maîtrisez le mieux, et évitez les mauvais retours. Ne prenez pas de risques inutiles, mais sachez prendre des risques calculés. Évaluez bien votre adversaire ; jouez sur ses faiblesses et cherchez à limiter ses forces. Optez pour le bon coup au bon moment. Cherchez toujours à comprendre les conséquences d'un choix par rapport à celles d'un autre selon le contexte. Enfin, ne renvoyez pas le volant vers le haut inutilement.

Les feintes

Une **feinte** consiste en la simulation d'un coup en vue d'en exécuter un autre. Si vous êtes un joueur intermédiaire ou avancé, vous pouvez faire des feintes afin d'induire votre adversaire en erreur et de diminuer son temps de réaction. Si vous atteignez rapidement le volant et que vous le frappez alors qu'il est au plus haut, il est beaucoup plus facile de feinter. Pour ce faire, vous devez modifier la vitesse de votre mouvement en le ralentissant ou en l'accélérant. Vous pouvez également changer le plan de votre tête de raquette au moment du contact avec le volant.

Vous pouvez, par exemple, effectuer le mouvement énergique annonçant un smash, mais exécuter un amorti. Vous pouvez également frapper le volant alors que la tête de la raquette est en angle par rapport au filet, ce qui permet de réduire la force transmise au volant (coups coupés et brossés comme les amortis, les smashs), déplacer la raquette dans une direction en envoyant le volant dans l'autre (coups brossés) ou orienter votre corps en envoyant le volant dans l'autre (coup au filet croisé, dégagé au-dessus de la tête en décroisé). Vous trouverez, sur le Compagnon Web de l'ouvrage, une description des coups coupés et brossés.

LES TACTIQUES EN DOUBLE

 ous présentons ici les tactiques pour le double masculin et le double féminin. Si vous désirez connaître les particularités des tactiques en double mixte, rendez-vous sur le Compagnon Web de l'ouvrage.

L'analyse de l'adversaire

En double, les partenaires doivent prendre le temps de bien évaluer leurs adversaires, de connaître les forces de ces derniers pour les vaincre, et leurs faiblesses pour les exploiter. De plus, ils doivent jouer en exploitant leurs propres forces et en protégeant leurs faiblesses. Avant même de commencer une partie, vous devez avoir pris connaissance de certaines caractéristiques de vos adversaires. Sont-ils gauchers ou droitiers ? Se déplacent-ils rapidement et avec aisance ? Jouent-ils avec puissance ? avec finesse ? Possèdent-ils un bon revers ? Quel est le joueur le plus faible ou le moins menaçant ? Les réponses à ces questions (et à d'autres) vous aideront à établir votre tactique de jeu.

Les tactiques de base

Le double est une discipline beaucoup plus rapide que le simple, notamment parce que la portion de terrain que chaque joueur doit couvrir est plus petite. Cela a pour conséquence de laisser très peu de temps aux joueurs pour réagir. De plus, l'utilisation des coups n'est pas la même qu'en simple. Pour éviter de vous mettre dans l'embarras, vous devez maintenir le volant le plus bas possible et lui donner une trajectoire descendante. Le double requiert l'utilisation de services courts, de smashs, de drives et d'attaques au filet. Par ailleurs, les joueurs doivent développer des qualités différentes de celles qu'exige le simple : une très grande agilité, d'excellents réflexes, des déplacements vifs et prompts, un très bon sens de l'observation, des coups puissants ainsi qu'une bonne communication.

Dès que l'occasion se présente, faites tout votre possible pour prendre l'offensive, que ce soit en frappant un coup explosif, comme un smash ou un drive, ou en faisant un placement, comme un amorti, un coup au filet, un lob offensif ou un dégagé offensif. Les objectifs de base sont de mettre les adversaires sous pression, de leur faire commettre des erreurs, de les obliger à relever le volant, de leur faire prendre des risques inutiles et, ultimement, de les amener à exécuter de mauvais retours.

Variez vos attaques en utilisant une multitude de coups et en changeant le rythme du jeu. Pour ce faire, vous devez faire alterner les coups en puissance avec les coups plus lents, et les trajectoires courtes avec les trajectoires longues, tendues, hautes et basses. Vous pouvez aussi diriger le volant vers l'adversaire le plus faible, smasher sur un opposant en mouvement ou attaquer au centre, entre les deux joueurs.

Donnez à vos retours et à vos coups défensifs la trajectoire la plus basse et la plus horizontale possible, et dirigez-les vers les lignes de côté. Cela permet d'éviter que l'adversaire qui se trouve au filet n'intercepte le volant et cela oblige le joueur arrière à se déplacer.

Les services

La position des joueurs au service

Si vous êtes le serveur, placez-vous tout près de la ligne de service court et de la ligne médiane (figure 20), afin que votre service ait la trajectoire la plus courte possible. Votre partenaire doit se positionner derrière vous, un pied de chaque côté de la ligne médiane, les pieds parallèles et dans la posture de base, de manière à couvrir tout l'arrière du terrain.

Les types de services

En double, on utilise surtout les services courts, en particulier le service court asiatique (figure 21). Bien effectué, ce dernier rend la riposte très difficile, car il passe tout près du filet. Il contraint souvent l'équipe adverse à relever le volant et donne ainsi l'offensive à l'équipe qui sert. Si vous effectuez un service court, vous êtes responsable de la protection de toute la zone avant, alors que votre partenaire veille sur la zone arrière. Vous vous trouvez alors tous deux placés en position d'attaque, l'un derrière l'autre. Nous vous recommandons de servir près de la ligne médiane et de la ligne de service court afin de vous permettre d'intercepter plus

Figure 20   Position des joueurs au service.

Figure 21   Service court.

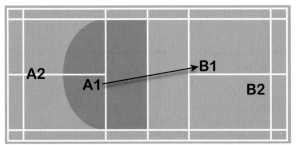

facilement un éventuel retour au centre de l'adversaire. Cela force ce dernier à effectuer un retour croisé vers l'une des lignes de côté, comme vous le verrez plus loin.

Vous pouvez, à l'occasion, effectuer un autre type de service : le service long tendu (figure 22). Il permet de surprendre votre adversaire, de le prendre à contre-pied, surtout si ce dernier est mal positionné ou s'il entreprend un déplacement précipité vers l'avant. Cette mise en jeu change aussi le rythme de la partie. Cependant, un tel service est très difficile à exécuter et fait augmenter les probabilités d'erreur. Après l'avoir exécuté, vous devez reculer et vous placer en position défensive, côte à côte avec votre partenaire, car vous risquez de vous faire attaquer.

Figure 22   Service long tendu.

La réception des services

La posture et la position des joueurs en réception de service

En double, la position du receveur est essentiellement la même qu'en simple, à une nuance près : le receveur doit se placer beaucoup plus près de la ligne de service court (figure 23), parce qu'il a une aire moins grande à protéger et qu'il souhaite mettre le serveur sous pression. Le partenaire du receveur doit, quant à lui, se placer près de la ligne médiane et légèrement devant la ligne de service long en double, afin de bien évaluer le service et d'aider son coéquipier à juger le volant. Il doit adopter la posture de base.

Figure 23   Posture et position des joueurs en réception de service.

Les retours de service

En double, les retours de service sont d'une importance capitale. Effectuez-les autant que possible du côté dominant, en coup droit. De plus, il est très important que vous frappiez le volant le plus rapidement possible, alors qu'il est au plus haut, afin d'accroître vos angles d'attaque et les options dont vous disposez en ce qui a trait aux coups. Un retour réussi vous donne le contrôle de l'échange en surprenant l'équipe adverse, en diminuant son temps de réaction, en la forçant à relever le volant et en diminuant ses angles de retour. Votre objectif doit être d'attaquer vos opposants en les déséquilibrant et en exploitant leurs faiblesses, afin d'éviter de leur laisser l'offensive.

Figure 24 Réponses à un service court.

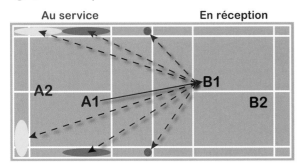

La figure 24 illustre les réponses possibles à un service court en double, de la moins risquée (en vert) à la plus risquée (en rouge). Si vous êtes débutant, nous vous conseillons le placement latéral mi-court entre les deux joueurs (en vert), le drive vers le couloir de fond (en jaune), de préférence sur l'un des joueurs ou sur le revers du joueur arrière, le lob offensif ou défensif vers le couloir de fond (en jaune), le coup au filet près d'une ligne de côté (en rouge) et l'attaque au filet, généralement dirigée vers la zone centrale.

Les figures 25 et 26 illustrent les diverses réponses possibles à un service long en double, de la moins risquée (en vert) à la plus risquée (en rouge). Vous remarquerez que les réponses conseillées ne sont pas tout à fait les mêmes selon que le service est dirigé vers une ligne de côté ou vers le centre. En double, évitez les coups croisés, car ceux-ci sont faciles à intercepter. Si vous êtes débutant, nous vous conseillons le dégagé offensif (en vert), de préférence sur le revers de l'adversaire, le smash au centre ou en direction de la ligne de côté la plus proche (en jaune), le drive au centre ou en parallèle (en jaune), l'amorti près d'une ligne de côté ou au centre (en rouge) et le dégagé défensif, à utiliser seulement si vous êtes en retard ou en déséquilibre (en vert). Si vous êtes un joueur avancé, vous pouvez ajouter l'amorti coupé, le smash coupé, l'amorti brossé et le smash brossé à votre arsenal. Vous en trouverez la description sur le Compagnon Web de l'ouvrage.

Figure 25 Réponses à un service long envoyé près d'une ligne de côté.

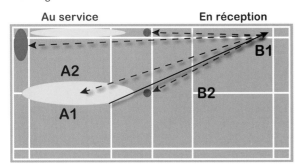

Figure 26 Réponses à un service long envoyé au centre.

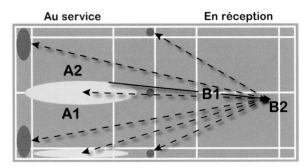

La défense

Votre coéquipier et vous êtes en situation défensive lorsque vous êtes contraints d'effectuer des retours en hauteur qui peuvent être attaqués en puissance par vos adversaires. Dans ces circonstances, vous devez vous placer côte à côte (figure 27) pour bien protéger votre territoire. Ainsi positionnés, vous avez tous deux le devoir de défendre votre **demi-court (droit ou gauche)** respectif. Vous pouvez aussi adapter votre position défensive à celle de l'équipe adverse en vous plaçant en triangle inversé (figure 28). Pour ce faire, déterminez vos positions en rapport avec l'endroit où vous avez envoyé le volant. Si c'était vers la gauche, le joueur de gauche doit reculer légèrement par rapport à son partenaire afin d'être à la même distance du volant que celui-ci, et inversement.

Une équipe en défense doit toujours avoir pour objectif de rééquilibrer la pression et de reprendre l'offensive. Si vous êtes en défense, vous devez diriger vos retours vers les lignes de côté, afin d'éviter le joueur adverse qui se trouve au filet (figure 29). Dirigez aussi le volant sur le revers du joueur arrière. Effectuez des retours croisés afin d'obliger le joueur arrière à se déplacer. Dirigez vos retours vers les **zones de divorce**, entre les deux joueurs. Amenez l'adversaire le plus puissant au filet et jouez sur le joueur le plus faible. Forcez les adversaires à se replacer côte à côte.

Pour ce qui est des coups, évitez les coups défensifs en hauteur. Donnez à vos retours une trajectoire horizontale ou descendante. Effectuez autant que possible des retours de smash horizontaux et bas. Si vous effectuez un retour au filet, suivez votre coup en allant protéger l'avant du demi-terrain. Si vous effectuez des retours en hauteur et en profondeur, forcez le joueur arrière à se déplacer latéralement pour l'épuiser et pour diminuer l'efficacité de ses ripostes.

Lorsque le volant se dirige entre les deux partenaires, c'est généralement au joueur qui frappe de son côté non dominant de le prendre en charge. Il est en effet plus facile d'exécuter des retours de smash en revers. Cependant, si l'équipe est composée d'un droitier et d'un gaucher, il faut mettre en place un autre système, par exemple convenir que cette tâche revient au joueur de gauche.

Figure 27   Position des joueurs en défense.

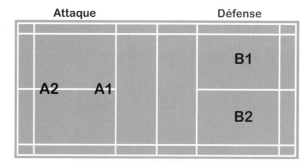

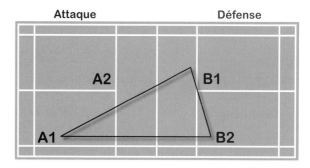

Figure 28   Position du triangle inversé.

Figure 29   Différents retours défensifs.

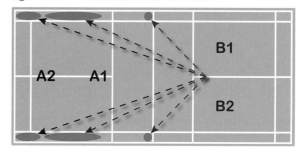

L'attaque

Lorsque votre équipe est en situation d'attaque, c'est-à-dire lorsque l'équipe adverse est incapable d'exécuter des frappes puissantes à la trajectoire descendante, vous

Figure 30 Position des joueurs en attaque.

devez vous placer en position offensive, l'un derrière l'autre (figure 30). Cela contribuera à mettre l'équipe adverse sous pression. Pour ce faire, l'un d'entre vous doit se placer en avant, pour couvrir la zone située près du filet. L'autre doit se placer en arrière, pour couvrir le fond du terrain. Le joueur avant doit tenir sa raquette à la hauteur de la tête, à l'aide de la prise raccourcie (voir la fiche 3), qui offre une grande précision et diminue les risques de toucher au filet.

Le joueur avant doit être alerte et avoir de bons réflexes ; son but est d'intercepter les volants et de mettre fin aux échanges à l'aide de drives, d'attaques au filet, de coups au filet et de lobs offensifs. Il doit éviter de se placer trop près du filet, car cela nuirait grandement à son efficacité.

Le joueur arrière, quant à lui, doit être puissant ; son objectif est de poursuivre l'attaque afin de mettre l'équipe adverse sous pression et de la contraindre à de mauvais retours. Pour ce faire, il doit selon les circonstances opter pour un smash, un drive, un amorti, un demi-smash ou un dégagé offensif.

En attaque, votre équipe doit bien coordonner ses déplacements afin d'éviter les déséquilibres et de ne pas donner d'ouverture aux adversaires. Vous devez toujours interagir avec votre partenaire. Si vous vous déplacez, il doit adapter sa position afin de vous aider à bien protéger toute votre aire de jeu. Imaginez que vous êtes tous deux reliés par une corde invisible et qu'il y a une poulie sur la jonction de la ligne médiane et de la ligne de service. Si l'un de vous recule, l'autre doit avancer (figure 31).

Figure 31 Variation coordonnée de la position des joueurs (B1 et B2).

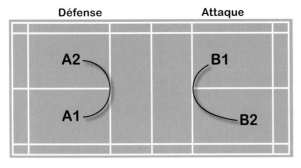

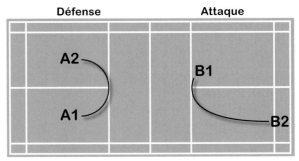

Il existe des situations où le joueur avant doit reculer légèrement, même si son équipe est en train d'attaquer, afin de protéger une partie du terrain qui est vulnérable (figure 32). Si votre équipe lance une attaque croisée, que vous êtes en avant et que votre partenaire subit beaucoup de pression en arrière, vous devez reculer afin de lui offrir votre soutien. Évitez cependant autant que possible les attaques croisées, car celles-ci sont très risquées !

Si votre partenaire et vous êtes en attaque, vous pouvez recourir à plusieurs stratégies pour être efficaces. Tout d'abord, attaquez au centre afin de susciter un malentendu entre les adversaires et de faciliter les interceptions par le partenaire au filet, tout en évitant d'envoyer le volant à l'extérieur (figure 33). Jouez sur le joueur le plus faible. Smashez sur un joueur en mouvement. Variez le rythme du jeu afin de surprendre l'équipe adverse. Enfin, exploitez le revers des adversaires en ayant recours à des drives, à des lobs et à des dégagés offensifs.

Smasher plusieurs fois de suite demande beaucoup d'énergie. En attaque, lorsque l'échange dure et que le joueur arrière a exécuté plusieurs smashs, nous recommandons aux joueurs de **permuter** leurs positions (figure 34). Le joueur fatigué peut récupérer et l'équipe peut poursuivre son attaque. Pour faire cette permutation, il faut d'abord que le joueur avant recule du côté opposé à celui où se trouve son partenaire, afin d'être en mesure de répondre à tout retour allant dans cette direction. Ensuite, le joueur qui était au fond du terrain doit s'avancer pour aller défendre la zone avant.

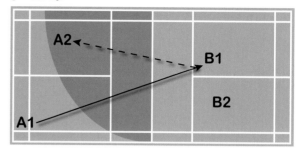

Figure 32   Position des joueurs en attaque croisée (A1 et A2).

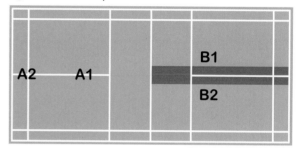

Figure 33   Attaque au centre.

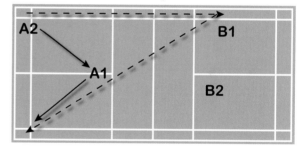

Figure 34   Permutation des joueurs en double.

Quelques conseils pour accroître son efficacité en double

▶ Soyez le plus précis possible lorsque vous effectuez des services, c'est capital. Un mauvais service donne immédiatement l'avantage à l'équipe adverse.

▶ Faites très attention à vos retours de service. Les retours de service constituent les coups les plus importants en double. Bien exécutés, ils permettent de prendre le contrôle de l'échange.

▶ Jouez de façon combative et attaquez dès que l'occasion se présente. Évitez cependant de prendre l'offensive à n'importe quel moment, car vous augmentez alors vos risques de commettre des erreurs.

▶ Soyez conscient des actions et des réactions de votre partenaire, et anticipez-les. Une excellente communication vous aidera à bouger en harmonie avec votre partenaire afin d'assurer la meilleure défense de votre demi-terrain.

▶ Soyez conscient des actions et des réactions de vos adversaires, et anticipez-les.

▶ Si vous êtes un joueur avancé, pensez aux conséquences possibles des différents coups selon le contexte dans lequel ils sont exécutés.

▶ Soyez conscient de votre espace de jeu afin de bien juger la trajectoire des volants.

▶ En toute circonstance, soyez prêt à attaquer et à vous défendre.

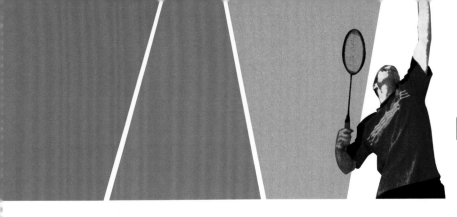

Cette section a pour but de vous aider à mieux comprendre les concepts de base du badminton et à les intégrer à votre jeu. Les questions se rapportent aux quatre premiers chapitres ; elles portent sur les règlements, sur les coups et leur utilisation, sur les déplacements ainsi que sur les tactiques. La révision est un excellent outil de formation, car elle met vos connaissances à l'épreuve et vous permet de vous préparer en vue d'un examen théorique. Vous pouvez bien entendu répondre à ces questions en vous aidant du livre, mais nous vous suggérons plutôt de n'utiliser ce dernier que pour vous corriger. De cette façon, vous serez en mesure de déceler les éléments que vous maîtrisez moins bien.

Pour compléter cette révision, vous trouverez sur le Compagnon Web un jeu-questionnaire interactif donnant des réponses instantanées avec des explications.

Utilisez la banque de mots ci-dessous afin de répondre aux questions 1 à 26. Certaines d'entre elles requièrent des réponses précises ; utilisez les termes entre parenthèses pour vous aider à les compléter.

Service long (simple, double)	*Coup au filet (droit, du revers)*
Service court	*Lob (défensif, offensif, du coup droit, du revers)*
Service court asiatique	*Drive (du coup droit, du revers)*
Service long tendu (simple, double)	*Attaque au filet*
Retour de service (simple, double)	*Dégagé du revers (défensif, offensif)*
Dégagé (défensif, offensif)	*Amorti du revers*
Amorti	*Retour de smash*
Smash	

1. Nommez trois coups défensifs qui permettent au joueur de reprendre sa position centrale.

_____

_____

_____

2. Quel est le coup le plus puissant au badminton ?

_____

3. Nommez trois coups en hauteur qui, techniquement, se ressemblent beaucoup.

_____

_____

_____

4. Lors de quelle mise en jeu la trajectoire du volant doit-elle être très longue et très haute (près du plafond)?

_____

5. Nommez trois services utilisés surtout en double.

_____

_____

_____

6. Quel coup droit, exécuté de l'arrière du terrain pour gagner du temps, donne au volant une trajectoire haute et longue, avec pour cible le couloir de fond?

_____

7. Quel coup droit exécute-t-on de l'arrière de terrain pour surprendre l'adversaire, le repousser et lui enlever du temps de réaction?

_____

8. En double, quels sont les retours que l'on effectue presque exclusivement du côté dominant?

_____

9. Nommez deux mises en jeu au cours desquelles le volant doit passer le plus près possible du filet et tomber tout près de la ligne de service court.

_____   _____

10. Quels coups utilise-t-on en réponse à un amorti ou à un coup au filet, ou encore en guise de retour de service? (Vous ne devez pas spécifier s'il s'agit de coups droits ou de coups du revers.)

_____   _____

11. À quels coups répond-on par un placement latéral mi-court, par une attaque au corps, par un coup au filet près d'une ligne de côté ou par un lob offensif ou défensif (de préférence sur le revers du joueur arrière)?

_____   _____

12. Nommez deux services en profondeur obligeant l'adversaire à reculer.

_____   _____

13. Lors de quel coup, dont la trajectoire est très courte, le volant doit-il passer juste au-dessus du filet et retomber le plus près possible de celui-ci ?

_____

14. Nommez deux coups, dont la trajectoire est en piqué, que l'on exécute pour mettre fin à un échange.

_____   _____

15. Nommez le coup qui, lorsqu'il est bien exécuté, donne au volant une trajectoire si courte que le joueur adverse ne dispose que d'une fraction de seconde pour se déplacer et est contraint à relever le volant.

_____

16. Nommez deux coups demandant l'exécution préalable d'une fente avant. (Vous ne devez pas spécifier s'il s'agit de coups droits ou de coups du revers.)

_____   _____

17. Nommez les coups, exécutés de l'arrière du terrain, lors desquels on ralentit le mouvement de la raquette juste avant de frapper le volant.

_____   _____

18. Nommez deux services qui, lorsqu'ils sont bien exécutés, limitent les possibilités de réponse de l'adversaire, ce dernier étant contraint de renvoyer le volant vers le haut.

_____   _____

19. Quel est le coup qui consiste à frapper le volant par en dessous pour l'envoyer dans la zone arrière de l'adversaire ?

_____

20. Quel coup exécute-t-on de la partie avant en bondissant sur le volant pour le rabattre d'un geste court et explosif ?

_____

21. Quel est le coup vif et prompt dont le mouvement ressemble au lancer de côté au baseball ?

_____

22. Quel coup offensif surtout utilisé en double donne au volant une trajectoire horizontale ou légèrement descendante le faisant passer près du filet ?

_____

23. Quel coup défensif est utilisé pour retourner des retours puissants dont la trajectoire est descendante ?

_____

24. Quel est le coup le plus difficile à exécuter au badminton, constituant la faiblesse majeure de la plupart des joueurs?

_____

25. Quel coup en hauteur, du côté revers, exige de frapper le volant avec beaucoup de vigueur afin de l'envoyer à l'autre extrémité du terrain?

_____

26. Quel coup demande une très bonne coordination, un excellent transfert de poids, une pronation explosive et une flexion du poignet?

_____

Complétez les descriptions techniques 27 à 40 qui suivent.

27. Posture de base

▶ La raquette doit être tenue à la hauteur de la _____ .

▶ Les pieds sont _____ au filet.

▶ Le poids du corps repose sur le _____ des pieds.

▶ Les épaules sont _____ au filet.

▶ Les genoux sont _____ .

28. Service long et service court ordinaire

▶ Le pied _____ pointe en _____ de l'envoi.

▶ Le pied dominant est en arrière, _____ à la ligne de fond.

▶ Le volant est tenu à la hauteur de la _____ .

▶ Au départ, la _____ est amenée vers l'arrière, l'avant-bras en _____ .

▶ Le bras dominant effectue un mouvement de _____ commençant derrière le corps.

▶ L'avant-bras effectue une _____ , juste avant de frapper le volant.

▶ Le volant est frappé à la hauteur des _____ (service long).

▶ Le mouvement se termine avec la raquette au-dessus de l'_____ non dominante (service long seulement).

29. Service court asiatique

▶ Le pied dominant est un peu plus _____ que l'autre pied.

▶ Le coude dominant est relevé jusqu'à la hauteur de l'_____ .

▶ Le volant est tenu à la hauteur de la _____ .

▶ On fait une extension du _____ et une _____ de l'avant-bras.

▶ Le volant est frappé à la _____ de la taille.

30. Dégagés défensif et offensif

▶ À la fin du déplacement, le pied dominant est en arrière, _____ à la ligne de fond.

▶ Au départ, les épaules et les hanches sont _____ au filet.

▶ Le _____ est transféré de la jambe arrière à la jambe avant.

▶ Juste avant l'impact, on fait une _____ du bras dominant et une _____ de l'avant-bras.

▶ Le contact avec le volant se fait _____ de la tête.

▶ Le bras _____ termine sa course de l'autre côté du corps, en bas.

31. Amorti

Les éléments techniques sont les mêmes que pour le dégagé, à l'exception de ceux-ci :

▶ La raquette est légèrement _____ vers l'avant.

▶ On _____ et on _____ le mouvement avant de frapper.

32. Smash

▶ Tout le corps participe au mouvement en procédant à un transfert de _____ marqué.

▶ Les épaules effectuent une _____ vive.

▶ L'extension du bras et la _____ de l'avant-bras sont d'une importance capitale.

▶ Lors de l'impact, la raquette est _____ vers l'avant de manière beaucoup plus marquée que lors d'un dégagé ou d'un amorti.

▶ Le bras _____ termine sa course de l'autre côté du corps, en bas.

33. Dégagé et amorti du revers

▶ Le pied _____ est orienté à 45 degrés, en direction de la ligne de fond.

▶ Le _____ est projeté vers le haut.

▶ Le bras effectue une _____.

▶ L'_____ effectue une supination (dégagé du revers).

▶ Le geste est _____ après l'impact.

34. Drive du coup droit et du revers

▶ Le déplacement à effectuer avant de frapper se termine par une fente _____ ou _____.

▶ Le bras effectue une légère _____.

▶ Lors d'un drive du coup droit, l'avant-bras effectue une _____.

▶ Lors d'un drive du revers, l'avant-bras effectue une _____.

35. L'attaque au filet

▶ La raquette est tenue à la hauteur de _____, devant soi.

▶ Le joueur doit _____ sur le volant.

▶ En coup droit, le bras dominant effectue une _____ extension, et l'avant-bras, une _____.

36. Coup au filet du coup droit et du revers

▶ Avant de frapper le volant, le joueur doit effectuer une _____ avant sur sa jambe dominante.

▶ La raquette est tenue à la hauteur de la _____.

▶ Lors d'un coup droit, l'avant-bras dominant effectue une _____ en douceur afin de faire basculer le volant de l'autre côté du filet.

▶ Lors d'un coup du revers, l'avant-bras dominant effectue une _____ en douceur.

▶ Lors du contact avec le volant, la face de la raquette est _____ de 45 degrés par rapport au sol.

▶ La raquette termine sa course près du _____ et parallèle au sol.

37. Lob du coup droit et lob du revers

▶ Le bras dominant effectue un mouvement de _____ vers l'avant et de bas en haut.

▶ Les épaules effectuent une _____.

▶ Lors d'un lob du coup droit, l'avant-bras effectue une _____.

▶ Lors d'un lob du revers, l'avant-bras effectue une _____.

▶ Lors d'un lob du coup droit, la course de la raquette se termine au-dessus de l'_____ non dominante.

▶ Lors d'un lob du revers, la course de la raquette se termine alors qu'elle est très haute et _____ soi.

38. Retour de smash du coup droit et du revers

▶ Au départ, on tient sa raquette _____ le corps à la hauteur de l'abdomen et orientée légèrement du côté _____.

▶ La phase _____ est quasiment inexistante.

▶ Les _____ effectuent une rotation dans la _____ du coup à jouer.

▶ En revers, l'avant-bras dominant effectue une _____ très vive lors du retour haut et profond.

▶ Le volant est joué le plus _____ possible, _____ soi.

39. Déplacements

▶ Tous les déplacements doivent _____ par un blocage de la jambe _____.

▶ Après chaque _____, le joueur revient en position _____.

▶ Les déplacements vers l'avant se terminent par une _____ avant.

▶ Les déplacements vers l'arrière s'effectuent à l'aide de pas _____ ou _____.

40. Position en retour de service

▶ La position du joueur varie en fonction de sa _____, de sa vitesse et, surtout, de son côté _____ (droit ou gauche).

▶ Le pied opposé à la raquette pointe en direction de l'_____.

▶ Le pied _____ est parallèle à la ligne de fond.

▶ Les épaules présentent un _____ par rapport au filet.

▶ La tête de la raquette est légèrement plus _____ que le filet.

▶ Le poids du corps repose sur le _____ des pieds.

▶ Les genoux sont _____.

Les questions qui suivent portent sur les tactiques et les règles.

41. Retours de service

a) En simple

Nommez deux types de réponses à un service long.

_____   _____

Nommez deux types de réponses à un service court.

_____   _____

b) En double

Nommez deux types de réponses à un service court.

_____   _____

Nommez deux types de réponses à un service long.

_____   _____

42. Tactiques utilisées en simple

a) Nommez deux tactiques utilisées en simple.

_____

_____

b) À quoi sert le service long?

_____

_____

c) Vers quel endroit doit-on diriger un service long, et pourquoi?

_____

_____

_____

43. Tactiques utilisées en double

a) Quelle est la position défensive en double ?

_____

b) Quelle est la position offensive en double ?

_____

c) Nommez trois tactiques utilisées en double.

_____

_____

_____

d) Pourquoi le service court est-il préférable en double ?

_____

_____

_____

44. En quoi consiste le principe de l'autoprotection ?

L'autoprotection est la _____ de se protéger et de _____
la menace de l'_____ .

45. Placez les joueurs correctement sur le diagramme ci-dessous en tenant compte
de leur côté dominant. Le score est de 0-0 ; l'équipe A est au service.

A1 est gaucher.   B1 est gaucher.

A2 est droitier.   B2 est droitier.

46. Vrai ou faux ?

a) En double, on utilise régulièrement le service long.

☐ Vrai   ☐ Faux

b) En simple, il est recommandé de jouer davantage sur la longueur.

☐ Vrai   ☐ Faux

c) En double, après avoir effectué un service long, les joueurs se positionnent
l'un derrière l'autre.

☐ Vrai   ☐ Faux

d) L'amorti est un coup défensif.

☐ Vrai   ☐ Faux

e) En simple, un joueur qui a un score impair sert à partir de la zone droite.

☐ Vrai ☐ Faux

f) En cas d'égalité 20-20, le premier camp qui atteint 21 points gagne la manche.

☐ Vrai ☐ Faux

g) En double, lors d'un service, le partenaire du serveur n'est pas tenu de respecter les lignes.

☐ Vrai ☐ Faux

h) En double, lors d'un service, il n'est pas permis d'envoyer le volant dans le couloir de fond.

☐ Vrai ☐ Faux

i) Si le serveur rate le volant lors d'un service, il n'y a pas faute.

☐ Vrai ☐ Faux

47. Aidez-vous du diagramme suivant, représentant un terrain subdivisé en petites zones, pour répondre aux questions ci-dessous. Chaque question peut comporter plus d'une réponse.

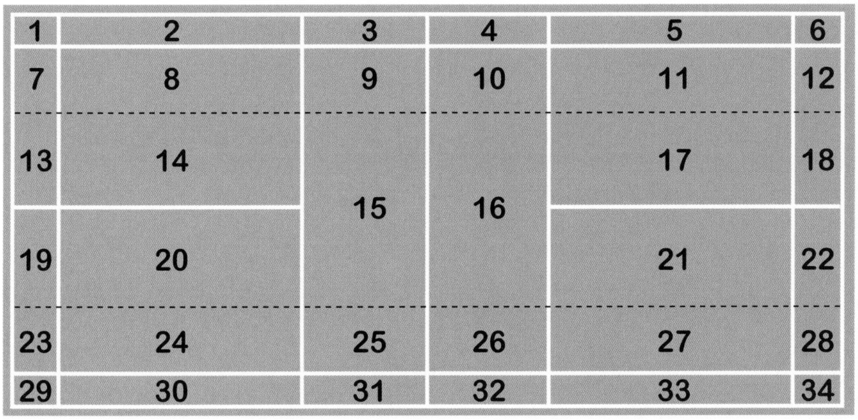

a) En simple, un service long est effectué depuis la zone 20. Dans quelle zone devrait tomber le volant pour une efficacité maximale? _____

b) En simple, un dégagé en parallèle est frappé depuis la zone 7. Dans quelle zone devrait être envoyé le volant? _____

c) En simple, où doit tomber le volant après un lob croisé exécuté de la zone 26? _____

d) En simple, un amorti est effectué depuis la zone 13. Dans quelles zones devrait atterrir le volant? _____   _____

e) En simple, un smash est effectué depuis la zone 11. Dans quelles zones devrait atterrir le volant? _____   _____

f) En double, un service court est effectué depuis la zone 17. Dans quelles zones devrait-on envoyer le volant si le retour est un placement latéral ?

_____   _____

g) En double, où doit tomber le volant après un smash exécuté depuis la zone 22, si l'on souhaite semer la confusion ? _____   _____

h) En double, un smash est frappé depuis la zone 23. Le volant atterrit dans la zone 17. Où doit-on le renvoyer si le coup choisi est un lob offensif croisé, joué loin du joueur arrière ? _____   _____

DEUXIÈME PARTIE
ÉVALUATIONS ET PROGRESSION

L'objectif du cours est le même pour tous : il s'agit d'appliquer une démarche conduisant à l'amélioration de son efficacité dans la pratique du badminton. Dans cette deuxième partie, nous vous proposons donc une démarche d'apprentissage adaptable aux caractéristiques de chaque joueur. Vous y trouverez de nombreux outils pédagogiques destinés à vous aider à améliorer progressivement votre efficacité au badminton. Vous ne devez pas nécessairement remplir toutes les grilles ou vous servir de tous les outils : utilisez seulement ceux dont vous avez besoin. Nous vous aiderons à les choisir au moment opportun. Par ailleurs, ces outils peuvent être adaptés aux différentes réalités et contraintes.

Description de la démarche d'apprentissage

Première étape : l'autoévaluation de départ (chapitre 5)

Au bout de quatre ou cinq semaines, après vous être familiarisé avec la terminologie et les gestes techniques de base, vous devez dresser un portrait aussi fidèle que possible de vos habiletés en procédant à votre autoévaluation.

Utilisez la *grille 1 : L'autoévaluation de départ* (p. 78). Vous pouvez vous faciliter la tâche en examinant au préalable votre degré de maîtrise des divers éléments figurant dans le *tableau 1 : Portrait de votre niveau de jeu* (p. 76-77). À la fin de la session, vous réutiliserez la grille pour juger de vos progrès.

Deuxième étape : la détermination des objectifs (chapitre 6)

Lorsque vous avez une meilleure idée de votre niveau de jeu, vous devez vous fixer des objectifs qui tiennent compte de vos besoins. Choisissez quatre coups et une attitude que vous désirez améliorer pendant la session. Pour chacun d'eux, formulez un objectif observable et mesurable et faites un prétest. Remplissez les *fiches de suivi des objectifs* (*fiches 1 à 11*, p. 82-87) et servez-vous du *tableau 2 : Les critères de réussite* (p. 80). La formulation et l'évaluation des objectifs constituent une démarche simple, non technique.

Troisième étape : l'autoévaluation des coups (chapitre 7)

Après avoir déterminé vos objectifs, vous devez améliorer et parfaire les gestes techniques. Prenez d'abord conscience de la manière dont il faut les exécuter en observant les photos et les vidéos (sur le Compagnon Web) ainsi qu'en analysant les descriptions techniques. Ensuite, procédez à l'autoévaluation de vos coups (et de vos déplacements) en utilisant les *grilles 2 à 11* (p. 90-99), en fonction des coups choisis. Déterminez les éléments techniques qu'il vous faut améliorer. Les *tableaux 3 à 6 sur les éléments à travailler par niveau* (p. 100-106) vous aideront dans cette tâche. Reportez les éléments ciblés dans vos fiches de suivi des objectifs, dans la section «éléments techniques à améliorer» (chapitre 6).

Quatrième étape : les exercices (chapitre 8)

Pour améliorer l'exécution technique de vos coups, il est important que vous expérimentiez diverses séquences de coups et mises en situation. Nous vous en proposons plusieurs. Choisissez celles qui vous conviennent. Puis, remplissez la section correspondante de vos fiches de suivi des objectifs (chapitre 6). Si vous éprouvez des problèmes lors de l'exécution de certains coups, consultez le *tableau 7 : Problèmes et solutions* (p. 121). Par ailleurs, des progressions pédagogiques par coups vous sont proposées sur le Compagnon Web de l'ouvrage. Il s'agit de séries d'exercices évolutifs.

Cinquième étape : l'autoévaluation de l'efficacité en situation de jeu (chapitre 9)

À partir de la mi-session, vous êtes appelé à procéder à l'analyse de votre efficacité technique et tactique en situation de jeu, que ce soit en simple ou en double. Vous devez donc porter un jugement sur la façon dont vous jouez. Pour ce faire, utilisez les *trois fiches d'évaluation* fournies (p. 129, 132 et 136). Elles vous aideront à déterminer les tactiques et les coups de base que vous devez améliorer.

Sixième étape : l'autoévaluation finale (chapitres 5, 6 et 7)

À la fin de la session, vous devez refaire les tests d'objectifs (fiches de suivi des objectifs, p. 82-87) afin de juger si vous avez atteint les objectifs que vous vous êtes fixés. Vous devez aussi de nouveau remplir les grilles d'autoévaluation par coups (p. 90-99). De plus, vous devez remplir à nouveau la *grille 1 : L'autoévaluation de départ* (p. 78) et indiquer votre niveau de maîtrise dans la colonne «Fin de session». En théorie, si vous avez bien appliqué la démarche d'apprentissage, vous devriez avoir progressé.

Pour conclure, faites un bilan de la session (p. 139).

CHAPITRE 5

L'AUTOÉVALUATION DE DÉPART
(ÉTAPE 1)

En début d'apprentissage, au bout de quatre ou cinq semaines, vous devez dresser le portrait de vos habiletés techniques et stratégiques. Grâce à cette autoévaluation, vous êtes en mesure de bien connaître vos forces et vos faiblesses, et de bien cibler ce que vous devez améliorer. Les habiletés de base qu'un débutant doit maîtriser sont les déplacements, le service long et les dégagés.

Avant tout, l'enseignant doit avoir présenté les coups et leurs trajectoires. Puis, vous pouvez faire votre autoévaluation de départ en remplissant la *grille 1 : L'autoévaluation de départ* de la p. 78. Pour vous aider, utilisez le *tableau 1 : Portrait de votre niveau de jeu* des pages suivantes. Utilisez un surligneur pour mettre en évidence les affirmations qui vous décrivent le mieux. Vous pouvez évaluer votre niveau de jeu en comptant le nombre de fois, en 10 essais, où vous arrivez à envoyer le volant au bon endroit. Si vous atteignez la cible entre 8 et 10 fois, vous êtes avancé ; 6 ou 7 fois, vous êtes de niveau intermédiaire ; 4 ou 5 fois, vous êtes débutant-intermédiaire ; et entre 0 et 3 fois, vous êtes débutant. Lorsque vous avez terminé, indiquez dans la colonne «À améliorer» les habiletés que vous souhaitez améliorer au cours de la session. Vous utiliserez de nouveau la grille 1 en fin de session, pour évaluer vos progrès.

TABLEAU 1 Portrait de votre niveau de jeu

Éléments à observer	Niveau débutant	Niveau débutant-intermédiaire
Prises de raquette	■ Prises aléatoires (marteau, poêlon).	■ Prise en marteau ou prise universelle.
Posture de base	■ Corps droit, pieds mal orientés et trop rapprochés, poids sur les talons, raquette trop basse, genoux non fléchis.	■ Corps droit, pieds rapprochés, poids sur les talons, raquette à la hauteur de la tête, genoux non fléchis ou peu fléchis.
Services	■ Services aléatoires et imprécis (trop hauts, trop courts). ■ Mauvaise posture (pieds parallèles, épaules face au filet, bras fléchi, tête de raquette près de la jambe dominante). ■ Absence de pronation de l'avant-bras.	■ Services longs trop bas et trop courts. Absence de pronation et de rotation des épaules. ■ Services courts trop hauts, imprécis et dirigés vers l'adversaire (mauvais angle de la raquette).
Retours de service	■ Retours aléatoires, généralement au centre, frappés par en dessous ou au niveau des yeux. ■ Mauvaise posture (jeu de face, bras fléchi, raquette trop basse, tamis orienté vers le filet). ■ Position ne permettant pas de protéger le revers.	■ Retours de service court frappés par en dessous en cloche et trop courts. ■ Retours de service long frappés légèrement au-dessus de la tête. Drives et dégagés trop courts, renvoyés au centre, tendus. ■ Posture irrégulière (jeu de face, bras fléchi, raquette trop basse, tamis orienté vers le filet).
Préparation des coups (phase préparatoire et phase d'exécution)	■ Corps face au filet, pieds parallèles. Raquette trop basse. Tamis orienté vers le filet. ■ Bras non armé vers l'arrière. Geste isolé du bras sans pronation ni supination. Absence de transfert de poids. ■ Déplacement trop long du volant (joueur ne bondissant pas vers lui).	■ Corps plus ou moins face au filet, raquette trop basse, absence de transfert de poids. ■ Bras non armé vers l'arrière. Geste isolé du bras. Courte pronation ou supination. ■ Le volant n'est pas frappé à sa hauteur maximale (extension du bras incomplète).
Types de coups	■ Coups imprécis, sans puissance, courts. Volant poussé et frappé au niveau des yeux ou par en dessous. Incapacité du côté revers. ■ Absence d'ajustements posturaux. ■ Incapacité de relever des coups puissants. ■ Nombreuses fautes.	■ Coups tendus. Lobs et dégagés trop bas et trop courts. Difficulté du côté revers. Retours de smash laborieux et imprécis. Amortis et coups au filet rares ou absents. ■ Extension du bras et rotation de l'avant-bras incomplètes.
Trajectoires	■ Trajectoires courtes, en cloche, au centre du terrain. Coups par en dessous hasardeux. Coups en hauteur inexistants. ■ Absence de contrôle des trajectoires.	■ Trajectoires plus longues, tendues et ascendantes peu précises et peu puissantes. ■ Intention de rediriger le volant, d'en changer la direction.
Déplacements	■ Absence de déplacements ou déplacements très courts, désorganisés et mal coordonnés. Incapacité de reculer pour frapper. Mauvaise posture de base ne permettant pas de réagir rapidement. ■ Absence de blocage avant la frappe, donc instabilité.	■ Déplacements tardifs. Déplacements vers l'avant instables. Déplacements du côté revers déficients. Déplacements latéraux aisés du côté du coup droit. Déplacements vers l'arrière difficiles en pas courus. ■ Difficulté à effectuer une fente de la jambe dominante avant la frappe. ■ Mouvement de déplacement lorsque le volant est proche.
Repositionnement	■ Absence de repositionnement. Repositionnement tardif. Joueur hypnotisé par le volant.	■ Repositionnement tardif ou incomplet.
Coordination	■ Coordination très déficiente, mauvaise relation corps-raquette-volant. Gestes non fluides. Absence de dissociation segmentaire entre les deux bras et les deux jambes. Mouvements courts et lents. ■ Mauvaise lecture des trajectoires.	■ Relation corps-volant améliorée. Difficulté de dissociation segmentaire. Gestes courts et saccadés, discontinuité des actions motrices. ■ Difficulté à synchroniser ses mouvements. ■ Jugement de la trajectoire amélioré.
Attention	■ Attention centrée sur le volant. Absence d'intérêt pour l'adversaire et pour la technique.	■ Attention centrée sur le volant, sur les déplacements vers l'avant et sur les déplacements latéraux.
Stratégies	■ Absence d'intention stratégique ; objectif unique de retourner le volant.	■ Volonté de repousser l'adversaire jusqu'aux trois quarts de son demi-terrain et de le faire bouger de gauche à droite. ■ Mauvaise utilisation du filet. ■ Retours hauts et tendus.

Niveau intermédiaire	Niveau avancé
■ Prise universelle et prise du revers.	■ Prise universelle, prise du revers et prise raccourcie.
■ Posture dynamique, pieds écartés, genoux fléchis, poids sur le devant des pieds, raquette tenue à la hauteur de la poitrine.	■ Pieds écartés et bien orientés, genoux fléchis, poids sur le devant des pieds, raquette tenue à la hauteur de la poitrine. ■ Repositionnement après chaque frappe.
■ Services courts précis. ■ Services longs profonds et réguliers, mais manquant souvent de hauteur.	■ Services courts précis. ■ Services longs précis, profonds, très hauts et réguliers. Services longs tendus et précis.
■ Retours de service long à l'aide de dégagés dans le couloir de fond et d'amortis. ■ Retours de service court à l'aide de lobs dans le couloir de fond, de drives, de placements mi-court et d'attaques au filet. ■ Bonne posture et bon positionnement. ■ Le volant n'est pas frappé à sa hauteur maximale.	■ Retours de service long à l'aide de dégagés offensifs dans le couloir de fond, d'amortis et de smashs. ■ Retours de service court à l'aide de lobs offensifs dans le couloir de fond, de drives, de placements mi-court, d'attaques au filet et de coups au filet. ■ Excellente posture, bon positionnement. ■ Le volant est joué le plus haut possible.
■ Extension du bras complète, pronation ou supination incomplète. Absence ou manque de rotation des épaules. Blocage de la jambe dominante. Transfert de poids amorcé par les jambes. ■ Frappes au-dessus de la tête : épaules perpendiculaires au filet, bras armé, raquette haute. ■ Frappes par en dessous : volant frappé trop bas, corps penché vers l'avant.	■ Extension du bras, pronation et supination complètes, bras armé, mouvement fluide. Blocage de la jambe dominante. Transfert de poids optimal. ■ Frappes au-dessus de la tête : volant frappé le plus haut possible devant le joueur. ■ Frappes par en dessous : volant frappé le plus haut possible, corps droit.
■ Services longs, services courts, dégagés, amortis, lobs, drives. ■ Coups au filet peu utilisés. ■ Amortis plus ou moins précis, gestes non fluides. ■ Retours de smash difficiles, trop hauts et trop courts. ■ Smashs souvent mal coordonnés.	■ Tous les coups, précis et masqués, et feintes. ■ Variation de la puissance et des trajectoires. ■ Retours de smash plats, au filet ou en lob. ■ Utilisation des coups coupés et brossés.
■ Trajectoires plutôt tendues, variation de la direction et de la force, utilisation de trajectoires descendantes (attaques au filet, smashs, amortis). ■ Hauteur et profondeur souvent trop faibles lors des dégagés, des lobs et des services longs.	■ Trajectoires variées et précises (vitesse, profondeur, hauteur, direction). Utilisation de trajectoires descendantes. ■ Utilisation de coups tendus pour mettre l'adversaire sous pression.
■ En équilibre dans toutes les directions lorsque la situation le permet. ■ Déplacements vers l'avant et déplacements latéraux stables et rapides. Déplacements vers l'arrière du côté revers ardus. ■ Repositionnement	■ Équilibre dynamique dans toutes les directions (même en revers). ■ Utilisation de coups au-dessus de la tête pour protéger son revers. ■ Saut d'interception, jeu en suspension. ■ Repositionnement.
■ Repositionnement au centre régulier et organisé.	■ Repositionnement systématique et adapté à une intention stratégique (attaque, défense).
■ Dissociation des bras et des jambes. Coups vers l'avant et coups latéraux en équilibre. ■ Enchaînement d'actions motrices si la situation le permet. Bon synchronisme et bonne relation corps-volant.	■ Excellente coordination. ■ Enchaînement et combinaison d'actions motrices (saut avec inversion des pieds en même temps que le coup). ■ Équilibre dynamique même sous pression. Saut d'interception. ■ Dissociation de toutes les parties du corps.
■ Attention centrée sur la qualité des retours, sur le repositionnement au centre, sur l'adversaire lorsque les retours sont hauts.	■ Utilisation optimale de ses coups. Perception des déséquilibres de l'adversaire.
■ Coups profonds pour repousser l'adversaire au fond de son demi-terrain. ■ Coups en direction du revers de l'adversaire. ■ Variation des coups courts et profonds. Changements du rythme du jeu. ■ Retours en hauteur évités.	■ Coups en direction des quatre coins, variation du rythme du jeu, patience. ■ Trajectoires tendues pour diminuer le temps de réaction de l'adversaire. Exploitation maximale des faiblesses de l'adversaire. ■ Contrôle de l'échange et attaque.

GRILLE 1 L'autoévaluation de départ

Habiletés	Débutant (de 0 à 3)		Débutant-intermédiaire (4 et 5)		Intermédiaire (6 et 7)		Avancé (de 8 à 10)		À améliorer
	Début de session	Fin de session	Début de session	Fin de session	Début de session	Fin de session	Début de session	Fin de session	
Service court					7				
Service long					7				
Dégagé									
Amorti									
Smash									
Lob du coup droit ou du revers									
Coup au filet du coup droit ou du revers									
Drive du coup droit ou du revers									
Dégagé du revers									
Retour de smash									
Posture de base									
Déplacements vers l'avant									
Déplacements latéraux									
Déplacements vers l'arrière									
Vitesse de déplacement									
Stabilité au moment de la frappe									
Retours au centre évités									
Envois aux quatre coins									
Jeu avant-arrière									
Jeu sur le revers de l'adversaire									
Variation des coups									
Variation du rythme du jeu									
Retours de service									

LA DÉTERMINATION DES OBJECTIFS
(ÉTAPE 2)

Pour s'améliorer dans une activité, il est important de se fixer des objectifs. Ceux-ci permettent d'observer et de mesurer ses progrès. Ils constituent également un facteur de motivation. Pour avoir de bons résultats, ils doivent être réalistes et tenir compte des habiletés de base et des expériences de l'apprenant en lien avec l'activité. Un débutant et un joueur avancé n'auront pas les mêmes objectifs, que ce soit en ce qui a trait aux coups à améliorer ou aux performances visées. Lorsque vous précisez vos objectifs, vous devez tenir compte du temps dont vous disposez pour les atteindre. La structure que nous vous proposons est facile à utiliser, et elle est très objective. Vous devez choisir quatre coups à exécuter 10 fois chacun, et viser le plus de fois possible une cible bien définie en respectant certains critères. Quand vous réussissez, vous accumulez des points. Vous pouvez vous-même choisir les coups, mais ceux-ci peuvent aussi être imposés par votre professeur, en tout ou en partie. Nous vous recommandons de choisir un service (court asiatique, court ou long), un coup exécuté du fond du terrain (amorti ou dégagé), un coup effectué près du filet (lob ou coup au filet), et un quatrième coup de votre choix.

LE CHOIX DES OBJECTIFS

1. Choisissez quatre coups (et une attitude) et prenez les *fiches de suivi des objectifs* correspondantes parmi celles qui sont fournies aux pages 82 à 87.

2. Formulez vos objectifs (voir la section ci-dessous) et dessinez les trajectoires des coups dans les diagrammes se trouvant en haut des fiches.

3. Effectuez un prétest pour chaque coup, puis reportez le résultat obtenu dans la fiche. Si le résultat que vous avez obtenu est égal ou supérieur à celui de votre objectif, élevez-le pour qu'il représente un défi.

LA FORMULATION DES OBJECTIFS

n objectif doit comporter un échéancier (telle date ou telle semaine). Il doit comprendre un verbe d'action (par exemple : «J'accumulerai...») et nommer le coup choisi ainsi que le nombre d'essais (toujours 10).

Un objectif doit pouvoir être observé et mesuré, et doit comporter certains critères de réussite (par exemple, l'endroit où vous devez envoyer le volant). Un coup réussi donne un maximum de 2 points. Référez-vous au *tableau 2* ci-dessous sur les *critères de réussite* pour évaluer votre degré de réussite. Le maximum est 20 points. Si la trajectoire du volant pour un coup donné est trop haute, trop basse, trop courte ou trop longue, le pointage accordé est de 0.

Exemple d'objectif à atteindre

«À la fin de la session, j'accumulerai 8 points ou plus à l'aide de 10 services longs envoyés dans le corridor de fond.»

TABLEAU 2 Les critères de réussite

Coups	Critères de réussite
Service court et service court asiatique	*Hauteur* ■ Moins de 30 cm au-dessus du filet. ■ 0 point si le volant dépasse cette hauteur.
	Longueur ■ 2 points si le volant tombe dans la zone de service entre la ligne de service et une ligne imaginaire tracée à 50 cm. ■ 1 point si le volant tombe entre cette ligne et une deuxième, tracée à 1 m. ■ 0 point si le volant tombe au-delà de 1 m.
Service long	*Hauteur* ■ Plus de la moitié de la distance séparant le sol et le plafond (très haut). ■ 0 point si le volant passe plus bas.
	Longueur ■ 2 points si le volant tombe dans le couloir de fond. ■ 1 point si le volant tombe à moins de 50 cm de la ligne de service long en double. ■ 0 point si la trajectoire est plus courte.

TABLEAU 2   Les critères de réussite (suite)

Coups	Critères de réussite
Dégagé	*Hauteur* ■ Plus de la moitié de la distance séparant le sol et le plafond (très haut). ■ 0 point si le volant passe plus bas. *Longueur* ■ 2 points si le volant tombe dans le couloir de fond. ■ 1 point si le volant tombe à moins de 50 cm de la ligne de service long en double. ■ 0 point si la trajectoire est plus courte.
Amorti (lent) et amorti du revers	*Hauteur* ■ Moins de 30 cm au-dessus du filet. ■ 0 point si le volant passe plus haut. *Longueur* ■ 2 points si le volant tombe à moins de 1,5 m du filet. ■ 1 point si le volant tombe entre une ligne imaginaire tracée à 1,5 m du filet et la ligne de service court. ■ 0 point si le volant tombe derrière la ligne de service court.
Lob du coup droit ou du revers	*Hauteur* ■ Plus de la moitié de la distance séparant le sol et le plafond (très haut). ■ 0 point si le volant passe plus bas. *Longueur* ■ 2 points si le volant tombe dans le couloir de fond. ■ 1 point si le volant tombe à moins de 50 cm de la ligne de service long en double. ■ 0 point si la trajectoire est plus courte.
Coup au filet du coup droit ou du revers	*Hauteur* ■ Moins de 30 cm au-dessus du filet. ■ 0 point si le volant dépasse cette hauteur. *Longueur* ■ 2 points si le volant tombe à moins de 50 cm du filet. ■ 1 point si le volant tombe entre une ligne imaginaire tracée à 50 cm du filet et une autre à 1 m du filet. ■ 0 point si le volant tombe derrière la ligne de service court.
Smash	*Précision* ■ 2 points si le volant tombe à moins de 1 m de la ligne de côté. ■ 1 point si le volant tombe entre 1 m et 1,5 m de la ligne de côté. ■ 0 point si le volant tombe à plus de 1,5 m de la ligne de côté. *Longueur* ■ Entre la ligne de service court et la ligne de fond. ■ 0 point s'il dépasse la ligne de fond. *Puissance* ■ 0 point si le coup n'est pas assez puissant.
Dégagé du revers	*Hauteur* ■ Plus de la moitié de la distance séparant le sol et le plafond (très haut). ■ 0 point si le volant passe plus bas. *Longueur* ■ 2 points si le volant tombe dans le couloir de fond. ■ 1 point si le volant tombe à moins de 50 cm de la ligne de service long en double. ■ 0 point si la trajectoire est plus courte.

Fiche de suivi des objectifs 1	**Fiche de suivi des objectifs 2**

Le service court traditionnel ou asiatique

Le service long

Objectif: _____ / 3 pts	Objectif: _____ / 3 pts
_____	_____
_____	_____
_____	_____
Éléments techniques à améliorer: / 1 pt	Éléments techniques à améliorer: / 1 pt
_____	_____
_____	_____
_____	_____
Résultat du prétest: _____ Date: _____ / 1 pt	Résultat du prétest: _____ Date: _____ / 1 pt
Résultat du test: _____ Date: _____	Résultat du test: _____ Date: _____
Situations d'apprentissage: / 2 pts	Situations d'apprentissage: / 2 pts
_____	_____
_____	_____
Objectif atteint (oui/non): Pourquoi? / 2 pts	Objectif atteint (oui/non): Pourquoi? / 2 pts
_____	_____
_____	_____
Difficulté(s) rencontrée(s): / 1 pt	Difficulté(s) rencontrée(s): / 1 pt
_____	_____
_____	_____
Total _____ / 10 pts	Total _____ / 10 pts

Fiche de suivi des objectifs 3	**Fiche de suivi des objectifs 4**
Le dégagé	**L'amorti**

Objectif: _____ / 3 pts

_____

_____

_____

Éléments techniques à améliorer: / 1 pt

_____

_____

_____

Résultat du prétest: _____ Date: _____ / 1 pt
Résultat du test: _____ Date: _____

Situations d'apprentissage: / 2 pts

_____

_____

_____

Objectif atteint (oui/non): Pourquoi? / 2 pts

_____

_____

_____

Difficulté(s) rencontrée(s): / 1 pt

_____

_____

_____

Total _____ / 10 pts

Objectif: _____ / 3 pts

_____

_____

_____

Éléments techniques à améliorer: / 1 pt

_____

_____

_____

Résultat du prétest: _____ Date: _____ / 1 pt
Résultat du test: _____ Date: _____

Situations d'apprentissage: / 2 pts

_____

_____

_____

Objectif atteint (oui/non): Pourquoi? / 2 pts

_____

_____

_____

Difficulté(s) rencontrée(s): / 1 pt

_____

_____

_____

Total _____ / 10 pts

Fiche de suivi des objectifs 5	Fiche de suivi des objectifs 6
Le lob du coup droit ou du revers	**Le coup au filet du coup droit ou du revers**

Objectif: _____ / 3 pts

_____

_____

_____

Éléments techniques à améliorer: / 1 pt

_____

_____

_____

Résultat du prétest: _____ Date: _____ / 1 pt

Résultat du test: _____ Date: _____

Situations d'apprentissage: / 2 pts

_____

_____

_____

Objectif atteint (oui/non): Pourquoi? / 2 pts

_____

_____

_____

Difficulté(s) rencontrée(s): / 1 pt

_____

_____

_____

Total _____ / 10 pts

Objectif: _____ / 3 pts

_____

_____

_____

Éléments techniques à améliorer: / 1 pt

_____

_____

_____

Résultat du prétest: _____ Date: _____ / 1 pt

Résultat du test: _____ Date: _____

Situations d'apprentissage: / 2 pts

_____

_____

_____

Objectif atteint (oui/non): Pourquoi? / 2 pts

_____

_____

_____

Difficulté(s) rencontrée(s): / 1 pt

_____

_____

_____

Total _____ / 10 pts

Fiche de suivi des objectifs 7

Le smash

Objectif : _____ / 3 pts

_____

_____

_____

Éléments techniques à améliorer :   / 1 pt

_____

_____

_____

Résultat du prétest : _____ Date : _____ / 1 pt

Résultat du test : _____ Date : _____

Situations d'apprentissage :   / 2 pts

_____

_____

_____

Objectif atteint (oui/non) : Pourquoi ?   / 2 pts

_____

_____

_____

Difficulté(s) rencontrée(s) :   / 1 pt

_____

_____

_____

Total _____ / 10 pts

Fiche de suivi des objectifs 8

Le dégagé du revers

Objectif : _____ / 3 pts

_____

_____

_____

Éléments techniques à améliorer :   / 1 pt

_____

_____

_____

Résultat du prétest : _____ Date : _____ / 1 pt

Résultat du test : _____ Date : _____

Situations d'apprentissage :   / 2 pts

_____

_____

_____

Objectif atteint (oui/non) : Pourquoi ?   / 2 pts

_____

_____

_____

Difficulté(s) rencontrée(s) :   / 1 pt

_____

_____

_____

Total _____ / 10 pts

Fiche de suivi des objectifs 9	**Fiche de suivi des objectifs 10**
Au choix :	**Au choix :**

Au choix :

Objectif : _____ / 3 pts

_____

_____

_____

Éléments techniques à améliorer : / 1 pt

_____

_____

_____

Résultat du prétest : _____ Date : _____ / 1 pt

Résultat du test : _____ Date : _____

Situations d'apprentissage : / 2 pts

_____

_____

_____

Objectif atteint (oui/non) : Pourquoi ? / 2 pts

_____

_____

_____

Difficulté(s) rencontrée(s) : / 1 pt

_____

_____

_____

Total _____ / 10 pts

Au choix :

Objectif : _____ / 3 pts

_____

_____

_____

Éléments techniques à améliorer : / 1 pt

_____

_____

_____

Résultat du prétest : _____ Date : _____ / 1 pt

Résultat du test : _____ Date : _____

Situations d'apprentissage : / 2 pts

_____

_____

_____

Objectif atteint (oui/non) : Pourquoi ? / 2 pts

_____

_____

_____

Difficulté(s) rencontrée(s) : / 1 pt

_____

_____

_____

Total _____ / 10 pts

TABLEAU 3   Les éléments à travailler pour le niveau débutant (suite)

Éléments à observer	Éléments à travailler	Exercices à effectuer
Déplacements	■ Posture de base, déplacements vers l'avant et déplacements latéraux en deux pas. ■ Blocage de la jambe dominante avant le coup. ■ Fentes avant et fentes latérales. ■ Déplacements vers l'arrière en trois pas (d'abord sans volant).	■ Faire des exercices de déplacement sans volant. ■ Faire des déplacements courts avec des volants lancés. ■ Par la suite, accroître la longueur des déplacements. ■ Faire la même chose avec des volants frappés par un partenaire. ■ Faire des séquences de coups simples. ■ Jouer des matchs sur un demi-terrain et sur le terrain.
Repositionnements	■ Retours au centre après chaque coup.	■ Faire des exercices de déplacement sans volant. ■ Faire des exercices lors desquels le joueur doit revenir toucher une cible au centre du terrain après chaque coup. ■ Faire des séquences de coups simples. ■ Jouer des matchs sur un demi-terrain et sur le terrain.
Coordination	■ Relation corps-raquette-volant. ■ Mouvements courts et fluides. ■ Dissociation segmentaire des bras et des jambes. ■ Synchronisation du geste avec la chute du volant. ■ Analyse des trajectoires.	■ Faire des exercices de manipulation. ■ Frapper contre le mur. ■ Exécuter des échanges continus, frapper en hauteur. ■ Faire des séquences de coups simples. ■ Jouer des matchs sur un demi-terrain et sur le terrain.
Attention	■ Attention portée sur le volant, mais surtout sur l'exécution correcte des mouvements. ■ Repositionnements.	■ Faire des séquences de coups. ■ Faire des mises en situation. ■ Jouer des matchs sur un demi-terrain.
Stratégies	■ Retours du volant vers le centre à éviter. ■ Échanges qui durent.	■ Faire des séquences de coups. ■ Faire des mises en situation. ■ Jouer des matchs sur un demi-terrain.

TABLEAU 4   Les éléments à travailler pour le niveau débutant-intermédiaire

Éléments à observer	Éléments à travailler	Exercices à effectuer
Prises de raquette	■ Prise universelle. ■ Prise de revers.	■ Faire des exercices de manipulation. ■ Ramasser un volant au sol. ■ Faire bondir le volant sur la raquette.
Posture de base	■ Pieds écartés et parallèles. ■ Poids sur la partie avant des pieds. ■ Raquette devant le corps à la hauteur de la poitrine. ■ Genoux fléchis. ■ Tronc légèrement incliné vers l'avant.	■ Analyser la posture de base et la reprendre après chaque coup. ■ Faire des exercices avec des volants lancés, avec ou sans déplacement.
Services	■ Service court et service long: posture de base, extension du bras, raquette amenée vers l'arrière, l'avant-bras en supination, parallèle au sol, mouvement de balancier du bras, rotation des épaules, contact avec le volant devant soi à la hauteur des genoux. ■ Service long seulement: pronation de l'avant-bras, course de la raquette terminant au-dessus de l'épaule opposée. Trajectoire haute et longue.	■ Faire le mouvement sans volant. ■ Frapper face au mur (raccourcir le mouvement et l'allonger graduellement, se concentrer sur les éléments de base). ■ Viser une cible sur le mur. ■ Faire des mises en situation. ■ Jouer des matchs sur un demi-terrain et sur le terrain.

TABLEAU 4   Les éléments à travailler pour le niveau débutant-intermédiaire (suite)

Éléments à observer	Éléments à travailler	Exercices à effectuer
Retours de service	■ Posture de base : pied dominant en arrière, parallèle à la ligne de fond, poids sur la partie avant des pieds, raquette à la hauteur du filet, bras en extension, corps en angle par rapport au filet. ■ Position en réception : coups du côté dominant. ■ Retours qui nécessitent peu de puissance. ■ Retours de service court : placement près d'une ligne, lob, remise au filet, drive ou coup tendu dirigé vers le fond. ■ Retours de service long : amorti, dégagé. ■ Concentration sur le mouvement et non sur la force.	■ Analyser et comprendre la posture de base en réception. ■ Faire des séquences de coups à deux (un joueur sert court et l'autre effectue des retours spécifiques). ■ Raccourcir le mouvement et l'allonger graduellement. ■ Faire des séquences de coups avec des services courts ou longs. ■ Faire des mises en situation. ■ Jouer des matchs sur un demi-terrain et sur le terrain.
Préparation des coups	■ Posture de base en coup droit et en revers pour les coups au-dessus de la tête et par en dessous. ■ Position par rapport au volant. ■ Impact avec le volant alors qu'il est devant soi. ■ Blocage de la jambe dominante avant le coup. ■ Préparation du bras vers l'arrière. ■ Synchronisation du mouvement avec la chute du volant. ■ Transfert de poids amorcé par la jambe dominante. ■ Rotation des épaules. ■ Extension du bras. ■ Rotation de l'avant-bras.	■ Analyser et comprendre la posture de base pour les coups en hauteur et à basse altitude, en coup droit comme en revers. ■ Raccourcir le mouvement et l'allonger graduellement. ■ Effectuer le mouvement sans volant. ■ Faire des exercices face au mur et sur le terrain avec des volants lancés. ■ Faire des exercices avec un partenaire en renvoyant le volant sur le joueur en hauteur. ■ Faire des séquences de coups.
Types de coups	■ Service long et dégagé : posture de base, frappe du volant alors qu'il est devant soi, poussée de la jambe dominante, extension du bras, rotation des épaules, pronation de l'avant-bras. ■ Coups demandant peu de puissance : service court, lob, amorti, coup au filet. ■ Coups du revers par en dessous et à mi-hauteur.	■ Analyser et comprendre la façon d'exécuter les coups. ■ Effectuer le mouvement sans volant. ■ Faire des exercices face au mur et sur le terrain avec des volants lancés. ■ Faire des séquences de coups simples. ■ Faire des mises en situation. ■ Jouer des matchs sur un demi-terrain et sur le terrain.
Trajectoires	■ Angle de la raquette au moment du contact avec le volant. ■ Coups par en dessous et par dessus. ■ Contact avec le volant le plus haut possible. ■ Trajectoires hautes et profondes (dégagé, lob, service long). ■ Trajectoires basses, courtes et tendues. ■ Trajectoires longues demandant de la force. ■ Variation de la hauteur et de la direction.	■ Exécuter un même coup en variant l'angle de la raquette. ■ Varier les trajectoires (hautes, basses, courtes, longues, tendues, ascendantes, descendantes). ■ Faire des séquences de coups simples. ■ Faire des mises en situation. ■ Jouer des matchs sur un demi-terrain et sur le terrain.
Déplacements	■ Posture de base. ■ Stabilité. ■ Fentes avant et fentes latérales. ■ Blocage de la jambe dominante avant le coup. ■ Déplacements vers l'avant et déplacements latéraux en deux pas. ■ Déplacements vers l'arrière en trois pas. ■ Pas chassés et courus.	■ Faire des exercices de déplacement sans volant. ■ Faire des déplacements courts avec des volants lancés. ■ Par la suite, accroître la longueur des déplacements. ■ Faire la même chose avec des volants frappés par un partenaire. ■ Faire des séquences de coups simples. ■ Jouer des matchs sur un demi-terrain et sur le terrain.
Repositionnements	■ Retour au centre après chaque coup.	■ Faire des exercices de déplacement sans volant. ■ S'immobiliser avant le coup de l'adversaire. ■ Faire des exercices lors desquels le joueur doit revenir toucher une cible au centre du terrain après chaque coup. ■ Faire des séquences de coups. ■ Jouer des matchs.

TABLEAU 4 Les éléments à travailler pour le niveau débutant-intermédiaire (suite)

Éléments à observer	Éléments à travailler	Exercices à effectuer
Coordination	■ Relation corps-raquette-volant. ■ Mouvements courts et fluides. ■ Dissociation segmentaire des bras et des jambes. ■ Synchronisation du geste avec la chute du volant. ■ Analyse des trajectoires.	■ Faire des exercices de manipulation. ■ Frapper contre le mur. ■ Exécuter des échanges continus, frapper en hauteur. ■ Faire des séquences de coups simples. ■ Jouer des matchs sur un demi-terrain et sur le terrain.
Attention	■ Attention portée sur le volant, mais surtout sur l'exécution correcte des mouvements.	■ Faire des séquences de coups. ■ Faire des mises en situation. ■ Jouer des matchs sur un demi-terrain.
Stratégies	■ Retours du volant vers le centre à éviter. ■ Adversaire à repousser au fond du terrain. ■ Déplacements forcés de l'adversaire de gauche à droite et inversement.	■ Faire des séquences de coups. ■ Faire des mises en situation. ■ Jouer des matchs sur un demi-terrain et sur le terrain.

TABLEAU 5 Les éléments à travailler pour le niveau intermédiaire

Éléments à observer	Éléments à travailler	Exercices à effectuer
Prises de raquette	■ Prise universelle. ■ Prise de revers.	■ Faire des exercices en alternant les coups droits et les coups du revers.
Posture de base	■ Poids sur la partie avant des pieds. ■ Raquette devant le corps à la hauteur de la poitrine. ■ Genoux fléchis. ■ Tronc légèrement incliné vers l'avant.	■ Analyser et comprendre la posture de base, la reprendre après chaque coup. ■ Faire des séquences de coups. ■ Faire des mises en situation. ■ Jouer des matchs.
Services	■ Service long: point de contact, pronation de l'avant-bras, raquette terminant sa course au-dessus de l'épaule opposée, hauteur et précision. ■ Service court: point de contact, angle de la tête de raquette, hauteur et précision. ■ Service long tendu: angle de la tête de raquette, pronation de l'avant-bras, précision.	■ Faire des exercices de service (allonger le mouvement). ■ Viser une cible au sol. ■ Faire des séquences de coups. ■ Faire des mises en situation. ■ Jouer des matchs sur un demi-terrain et sur le terrain.
Retours de service	■ Impact avec le volant le plus haut possible. ■ Bras en extension. ■ Retours de service court: placement près d'une ligne, lob offensif, remise au filet, drive, attaque au filet. ■ Retours de service long: amorti, dégagé offensif et défensif, smash.	■ Faire des séquences de coups à deux (un joueur sert court, l'autre effectue des retours de service spécifiques). ■ Faire des séquences de coups avec services longs et courts. ■ Faire des mises en situation. ■ Jouer des matchs sur un demi-terrain et sur le terrain.
Préparation des coups	■ Déplacements rapides. ■ Impact avec le volant devant soi. ■ Blocage de la jambe dominante avant le coup. ■ Préparation du bras vers l'arrière. ■ Synchronisation du mouvement avec la chute du volant. ■ Transfert de poids: poussée de la jambe dominante, rotation des hanches et des épaules, rotation vive de l'avant-bras.	■ Analyser la posture de base pour les coups en hauteur et à basse altitude, en coup droit et en revers. ■ Effectuer le mouvement sans volant. ■ Faire des exercices face au mur et sur le terrain avec des volants lancés. ■ Faire des séquences de coups. Faire des exercices avec un partenaire (le volant doit être renvoyé loin du joueur, en hauteur). ■ Faire des mises en situation. ■ Jouer des matchs sur un demi-terrain et sur le terrain.

TABLEAU 5 Les éléments à travailler pour le niveau intermédiaire (suite)

Éléments à observer	Éléments à travailler	Exercices à effectuer
Types de coups	■ Tous les coups (précision) avec attention spéciale aux amortis et aux coups au filet (initiation au dégagé du revers). ■ Coups demandant de la puissance : dégagé, drive, smash. ■ Coups du revers. ■ Retours de smash. ■ Dégagé au-dessus de la tête. Jeu du côté dominant.	■ Analyser la façon d'exécuter les coups. ■ Effectuer le mouvement sans volant. ■ Faire des exercices face au mur et sur le terrain avec des volants lancés. ■ Faire des séquences de coups simples et complexes. ■ Faire des mises en situation. ■ Jouer des matchs sur un demi-terrain et sur le terrain.
Trajectoires	■ Angle de la raquette au moment du contact avec le volant. ■ Impact avec le volant le plus haut possible. ■ Coups en hauteur et en profondeur (dégagé, lob, service long). ■ Trajectoires basses, courtes et tendues. ■ Variation de la hauteur, de la force, de la direction et de l'angle. ■ Trajectoires descendantes (smash, attaque au filet, amorti).	■ Exécuter des frappes par en dessous et par dessus. ■ Varier l'angle de la raquette pour un même coup. ■ Faire des séquences de coups avec variation des trajectoires : hautes, basses, courtes, longues, tendues, ascendantes, descendantes. ■ Jouer des matchs sur un demi-terrain et sur le terrain.
Déplacements	■ Blocage de la jambe dominante avant le coup et autres fentes. ■ Maîtrise des déplacements vers l'avant et des déplacements latéraux en deux et trois pas. ■ Maîtrise des déplacements vers l'arrière en trois pas (chassés, croisés). ■ Saut de démarrage (initiation). ■ Rapidité d'exécution et équilibre dans toutes les directions. ■ Stabilité des déplacements vers l'avant et des déplacements latéraux.	■ Faire des exercices d'enchaînement de déplacements sans volant. ■ Exécuter des enchaînements de déplacements courts et longs avec des volants lancés ou frappés. ■ Faire des séquences de coups simples. ■ Jouer des matchs sur un demi-terrain et sur le terrain. ■ Jouer des matchs à deux contre un ou avec interdictions.
Repositionnements	■ Repositionnement rapide au centre après chaque coup. ■ Immobilisation avant le coup de l'adversaire.	■ Faire des exercices lors desquels le joueur doit revenir toucher une cible au centre du terrain après chaque coup. ■ Faire des séquences de coups. ■ Jouer des matchs sur un demi-terrain et sur le terrain.
Coordination	■ Dissociation segmentaire des bras et des jambes, puis de la tête et du tronc. ■ Précision du synchronisme et de la relation corps-volant.	■ Exécuter des échanges continus, frapper en hauteur. ■ Faire des séquences de coups. ■ Faire des mises en situation. ■ Jouer des matchs sur un demi-terrain et sur le terrain.
Attention	■ Attention portée sur le repositionnement au centre et sur la qualité des retours. ■ Observation de l'adversaire entre les coups.	■ Faire des séquences de coups. ■ Faire des mises en situation. ■ Jouer des matchs sur un demi-terrain et sur le terrain.
Stratégies	■ Adversaire à repousser au fond du terrain. ■ Déplacements forcés de l'adversaire de gauche à droite. ■ Jeu sur son revers. ■ Jeu avant-arrière, envoi du volant aux quatre coins.	■ Faire des séquences de coups. ■ Faire des mises en situation. ■ Jouer des matchs sur un demi-terrain et sur le terrain.

TABLEAU 6   Les éléments à travailler pour le niveau avancé

Éléments à observer	Éléments à travailler	Exercices à effectuer
Prises de raquette	▪ Prise de revers. ▪ Prise raccourcie.	▪ Alterner les coups droits et les coups du revers. ▪ Faire des exercices au filet avec des volants lancés et avec des coups exécutés de façon continue.
Posture de base	▪ Orientation des pieds en fonction du retour qui a été effectué.	▪ Reprendre la posture de base après chaque coup. ▪ Faire des séquences de coups. ▪ Faire des mises en situation. ▪ Jouer des matchs.
Services	▪ Précision et variété des services court, long et tendu, dirigés au centre ou en angle.	▪ Faire des séquences de coups. ▪ Faire des mises en situation. ▪ Jouer des matchs.
Retours de service	▪ Bondissement vers le volant. ▪ Impact avec le volant le plus haut possible. ▪ Retours de service court: placement près d'une ligne, lob offensif, remise au filet, drive, attaque au filet. ▪ Retours de service long : dégagé offensif, amorti coupé, amorti brossé, smash, smash coupé.	▪ Faire des séquences de coups. ▪ Faire des mises en situation. ▪ Jouer des matchs.
Préparation des coups	▪ Déplacements très rapides. ▪ Fluidité du mouvement. ▪ Efficacité du transfert de poids. ▪ Mouvement long et fluide de la raquette. ▪ Pronations et supinations complètes et explosives. ▪ Impact avec le volant le plus haut possible.	▪ Faire des séquences de coups avec ou sans déplacements. ▪ Faire des mises en situation. ▪ Jouer des matchs, notamment des matchs à deux contre un.
Types de coups	▪ Précision de tous les coups. ▪ Puissance des coups et des feintes. ▪ Coups à effet (coupé, brossé, piqué). ▪ Retours de smash. ▪ Dégagé et amorti du revers.	▪ Analyser et comprendre la façon d'exécuter les coups spécifiques. ▪ Faire des séquences de coups simples et complexes. ▪ Jouer des matchs, notamment des matchs à deux contre un ou avec interdictions et obligations.
Trajectoires	▪ Trajectoires basses et tendues. ▪ Profondeur, hauteur, direction et précision. ▪ Trajectoires descendantes : smash, attaque au filet, amorti rapide et lent, demi-smash.	▪ Exécuter un même coup en variant l'angle de la raquette (effets). ▪ Varier les trajectoires (hautes, basses, courtes, longues, tendues, ascendantes, descendantes). ▪ Faire des séquences de coups simples. ▪ Jouer des matchs sur un demi-terrain et sur le terrain.
Déplacements	▪ Déplacements vers l'arrière du côté revers avec coup droit. ▪ Déplacements vers l'arrière du côté revers avec coup du revers. ▪ Saut d'interception, jeu en suspension. ▪ Saut de démarrage (maîtrise). ▪ Rapidité d'exécution et stabilité.	▪ Effectuer des exercices d'enchaînement de déplacements très rapides sans volant. ▪ Faire des enchaînements de déplacements courts et longs avec des volants lancés ou frappés. ▪ Jouer des matchs à deux contre un ou avec interdictions et obligations.
Repositionnements	▪ Repositionnements stratégiques (attaque contre défense).	▪ Effectuer des exercices où le joueur doit revenir toucher une cible au centre du terrain après chaque coup. ▪ Faire des mises en situation. ▪ Faire des séquences de coups. ▪ Jouer des matchs, notamment des matchs à deux contre un ou avec interdictions et obligations.

TABLEAU 6   Les éléments à travailler pour le niveau avancé (suite)

Éléments à observer	Éléments à travailler	Exercices à effectuer
Coordination	■ Combinaison et enchaînement d'actions motrices. ■ Saut avec inversion des pieds lors de la frappe. ■ Dissociation segmentaire de tout le corps. ■ Coups en suspension, saut d'interception.	■ Effectuer des exercices de coups tendus. ■ Faire des mises en situation. ■ Faire des séquences de coups. ■ Jouer des matchs, notamment des matchs à deux contre un ou avec interdictions et obligations.
Attention	■ Attention portée sur l'utilisation optimale des coups. ■ Perception des déséquilibres de l'adversaire.	■ Faire des séquences de coups. ■ Faire des mises en situation. ■ Jouer des matchs sur un demi-terrain et sur le terrain, notamment des matchs à deux contre un ou avec interdictions et obligations.
Stratégies	■ Variation du rythme du jeu. ■ Patience. ■ Utilisation de trajectoires tendues. ■ Envoi du volant aux quatre coins. ■ Jeu sur le revers de l'adversaire.	■ Faire des séquences de coups. ■ Faire des mises en situation. ■ Jouer des matchs sur un demi-terrain et sur le terrain, notamment des matchs à deux contre un ou avec interdictions et obligations.

LES EXERCICES (ÉTAPE 4)

Pour améliorer l'exécution technique de vos coups, vous devez, en tenant compte de votre niveau d'habileté, faire des exercices correspondant aux objectifs que vous vous êtes fixés. Concentrez-vous principalement sur les coups que vous avez choisis et travaillez-les à chaque cours.

Vous êtes appelé à expérimenter diverses séquences de coups et mises en situation, certaines imposées, d'autres à choisir. Nous en proposons ici plusieurs. Nous vous suggérons de commencer par des exercices simples afin de bien intégrer les mouvements. Si vous êtes débutant ou débutant-intermédiaire, nous vous recommandons les exercices suivants :

▶ Effectuer des mouvements sans volant ; cela permet de se concentrer sur l'exécution.

▶ Raccourcir les mouvements.

▶ Frapper des volants lancés par un partenaire ; cela aide à évaluer les trajectoires et à limiter les déplacements.

▶ Faire des déplacements sans volant.

▶ Faire des exercices qui obligent à effectuer de courts déplacements.

▶ Réduire l'espace de travail ; un demi-terrain suffit.

▶ Commencer par des séquences de coups simples ne faisant travailler qu'un ou deux coups à la fois.

Notez les séquences de coups ou les mises en situation que vous aurez expérimentées dans vos fiches de suivi des objectifs (chapitre 6). Si vous avez des problèmes lors de l'exécution de vos coups, consultez le *tableau 7 : Problèmes et solutions* (p. 121), qui vous permettra, nous l'espérons, de remédier à la situation. Vous pouvez aussi examiner les progressions pédagogiques qui vous sont proposées sur le Compagnon Web de l'ouvrage. Il s'agit de séries d'exercices évolutifs par coups.

LES SÉQUENCES DE COUPS

Les séquences de coups sont des exercices de simulation répétitifs permettant d'acquérir et de préciser les mouvements. Les coups et l'ordre dans lequel on doit les exécuter sont généralement prédéterminés. Vous pouvez travailler n'importe quel geste : il vous suffit de choisir la bonne séquence. Vous pouvez ainsi préciser des enchaînements d'actions et des coups qui surviennent normalement en situation réelle de jeu. Pendant l'exécution de ce type d'exercices, vous devez vous concentrer pour bien exécuter les gestes et les déplacements.

Vous pouvez utiliser diverses séquences pour améliorer un même coup, et même en inventer. Pour ce faire, ciblez d'abord les habiletés techniques que vous souhaitez améliorer en tenant compte de votre niveau de maîtrise de celles-ci. Plus votre niveau est faible, plus la séquence doit être simple. Par la suite, il ne vous reste qu'à décider dans quel ordre vous les exécuterez. Voici quelques exemples.

Séquences de coups simples pour joueurs débutants

Vous pouvez pratiquer ces séquences de coups avec ou sans échanges continus, selon vos capacités. Vous pouvez vous approprier ces exercices et les modifier à votre aise.

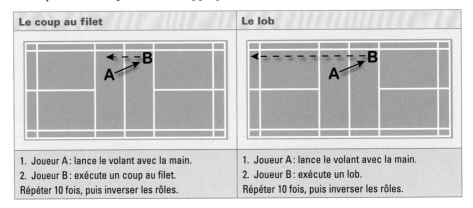

Le coup au filet	Le lob
1. Joueur A : lance le volant avec la main.	1. Joueur A : lance le volant avec la main.
2. Joueur B : exécute un coup au filet.	2. Joueur B : exécute un lob.
Répéter 10 fois, puis inverser les rôles.	Répéter 10 fois, puis inverser les rôles.

Séquences de coups simples pour joueurs de tous les niveaux

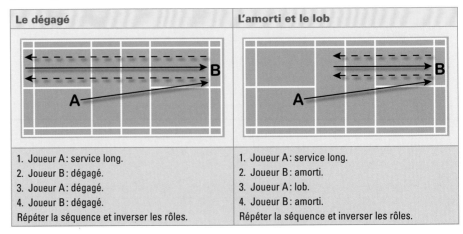

Le dégagé	L'amorti et le lob
1. Joueur A : service long.	1. Joueur A : service long.
2. Joueur B : dégagé.	2. Joueur B : amorti.
3. Joueur A : dégagé.	3. Joueur A : lob.
4. Joueur B : dégagé.	4. Joueur B : amorti.
Répéter la séquence et inverser les rôles.	Répéter la séquence et inverser les rôles.

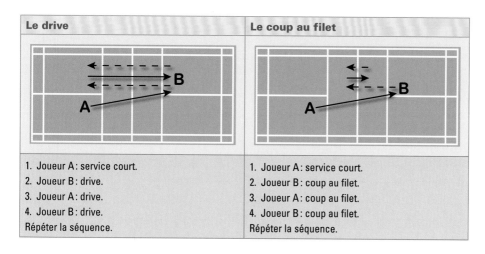

Le drive	Le coup au filet
1. Joueur A: service court.	1. Joueur A: service court.
2. Joueur B: drive.	2. Joueur B: coup au filet.
3. Joueur A: drive.	3. Joueur A: coup au filet.
4. Joueur B: drive.	4. Joueur B: coup au filet.
Répéter la séquence.	Répéter la séquence.

Séquences de coups pour joueurs intermédiaires et avancés

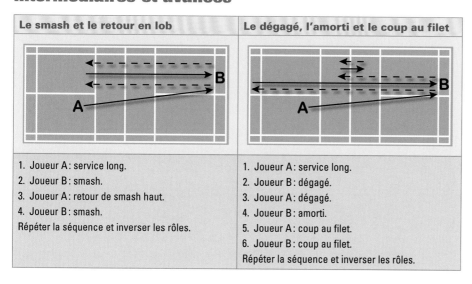

Le smash et le retour en lob	Le dégagé, l'amorti et le coup au filet
1. Joueur A: service long.	1. Joueur A: service long.
2. Joueur B: smash.	2. Joueur B: dégagé.
3. Joueur A: retour de smash haut.	3. Joueur A: dégagé.
4. Joueur B: smash.	4. Joueur B: amorti.
Répéter la séquence et inverser les rôles.	5. Joueur A: coup au filet.
	6. Joueur B: coup au filet.
	Répéter la séquence et inverser les rôles.

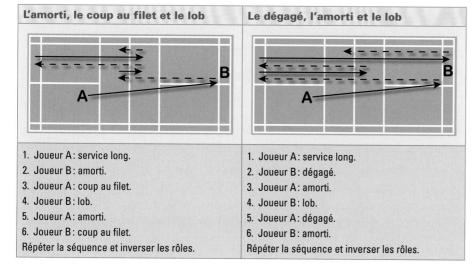

L'amorti, le coup au filet et le lob	Le dégagé, l'amorti et le lob
1. Joueur A: service long.	1. Joueur A: service long.
2. Joueur B: amorti.	2. Joueur B: dégagé.
3. Joueur A: coup au filet.	3. Joueur A: amorti.
4. Joueur B: lob.	4. Joueur B: lob.
5. Joueur A: amorti.	5. Joueur A: dégagé.
6. Joueur B: coup au filet.	6. Joueur B: amorti.
Répéter la séquence et inverser les rôles.	Répéter la séquence et inverser les rôles.

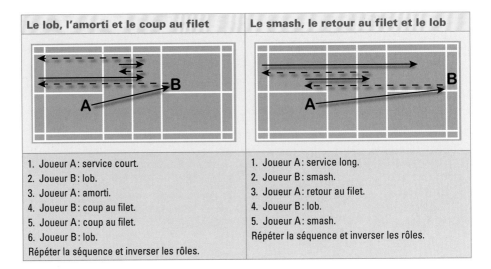

Le lob, l'amorti et le coup au filet

1. Joueur A : service court.
2. Joueur B : lob.
3. Joueur A : amorti.
4. Joueur B : coup au filet.
5. Joueur A : coup au filet.
6. Joueur B : lob.
Répéter la séquence et inverser les rôles.

Le smash, le retour au filet et le lob

1. Joueur A : service long.
2. Joueur B : smash.
3. Joueur A : retour au filet.
4. Joueur B : lob.
5. Joueur A : smash.
Répéter la séquence et inverser les rôles.

Séquences de coups pour joueurs avancés

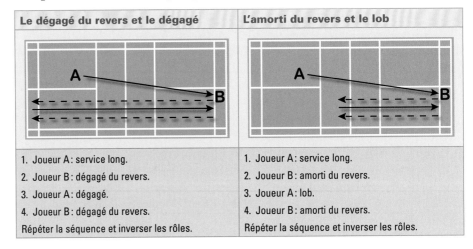

Le dégagé du revers et le dégagé

1. Joueur A : service long.
2. Joueur B : dégagé du revers.
3. Joueur A : dégagé.
4. Joueur B : dégagé du revers.
Répéter la séquence et inverser les rôles.

L'amorti du revers et le lob

1. Joueur A : service long.
2. Joueur B : amorti du revers.
3. Joueur A : lob.
4. Joueur B : amorti du revers.
Répéter la séquence et inverser les rôles.

Si vous êtes un joueur avancé, vous pouvez créer des séquences favorisant l'utilisation de coups à effets comme les amortis coupés, les smashs coupés, les amortis brossés, les smashs brossés, les coups au filet croisés, etc. Pour connaître ces coups et savoir comment les exécuter, rendez-vous sur le Compagnon Web de l'ouvrage.

LES MISES EN SITUATION

Comme les séquences de coups, les mises en situation servent à acquérir et à affiner les habiletés techniques. Cependant, quelques éléments les distinguent les unes des autres. Les mises en situation sont généralement moins contraignantes que les séquences, parce que les coups ne sont pas tous prédéterminés.

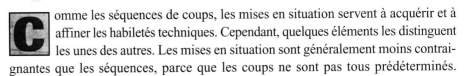

De plus, elles sont conçues dans le but d'améliorer les tactiques de base. Les séquences de coups, quant à elles, visent essentiellement l'amélioration de la qualité technique des coups.

Les mises en situation peuvent ressembler à de vraies parties de badminton. Cependant, certains aspects du jeu y sont modifiés ou contrôlés afin de faciliter ou de compliquer la tâche des apprenants. Par exemple, en début d'apprentissage, vous pouvez jouer des matchs en simple sur un demi-terrain. Les avantages sont nombreux : limitation de la longueur des déplacements, incitation à faire des coups du côté dominant, accroissement de la durée des échanges, facilité à améliorer la précision des coups, obligation de varier les coups et d'utiliser la pleine longueur du terrain, facilité d'apprentissage des déplacements avant-arrière, participation d'un plus grand nombre de personnes, etc.

Voici des exemples de façons de contrôler ou de modifier certains aspects du jeu :

- ▶ Agrandir ou réduire l'espace de jeu pour l'un des joueurs ou pour l'ensemble des joueurs. Par exemple, jouer sur demi-terrain ou à deux contre un.

- ▶ Restreindre l'utilisation d'un ou de plusieurs coups pour un joueur ou pour tous les joueurs. Par exemple, jouer avec interdiction de smasher pour l'un et interdiction de servir court pour l'autre.

- ▶ Obliger les joueurs à commencer l'échange en ayant recours au service long (ou au service court).

- ▶ Obliger un joueur ou tous les joueurs à terminer l'échange en utilisant un coup bien spécifique, par exemple un amorti.

- ▶ Obliger les joueurs à effectuer des déplacements spécifiques durant les échanges. Par exemple, aller toucher une cible placée au centre du terrain après chaque coup, alterner les coups à trajectoires courte et longue.

- ▶ Joueur des matchs à deux contre un.

- ▶ Restreindre les zones où les joueurs peuvent envoyer le volant. Par exemple, faire un échange qui doit se terminer par un coup dirigé dans le couloir de fond, sur le revers de l'adversaire.

- ▶ Faire des échanges en utilisant deux volants simultanément.

- ▶ Imposer des situations tactiques. Par exemple, un camp ne fait qu'attaquer et l'autre ne fait que se défendre.

- ▶ Obliger les joueurs à gagner une partie dans un temps déterminé, par exemple en moins de 10 minutes.

Le tableau ci-dessous indique, par niveau et selon les habiletés techniques et stratégiques à travailler, les numéros des mises en situation à utiliser parmi les 36 qui sont proposées ensuite. Ne perdez pas de vue les objectifs que vous vous êtes fixés. Par exemple, si votre objectif est d'améliorer l'efficacité de votre service long et que votre niveau de jeu est débutant, vous avez le choix entre les exercices 4, 5, 6, 8 et 29. Ces mises en situation ont pour but de vous aider à développer vos aptitudes en simple. Cependant, rien ne vous empêche de faire de tels exercices en double.

Habiletés	Débutant	Intermédiaire	Avancé
Relation corps-raquette-volant	1-2		
Service court	3-12-31	3-12-31	3-12-31
Service long	4-5-6-8-29	4-5-6-8-29	4-5-6-8-24-29
Dégagé	4-5-9-15-16-17-32	4-5-9-15-16-17-21-27-32	4-9-15-16-17-21-24-27-32
Amorti	4-6-9-13-14-15-16-17	4-6-9-13-14-15-16-17-27	4-6-9-13-14-15-16-17-24-27
Smash	13-15-19	10-13-15-19-23-26-35	4-10-13-15-19-23-26-35
Lob	6-9-10-15-16-17	6-9-10-15-16-17-27	6-9-10-15-16-17-24-27
Coup au filet	6-11-14-15-16-17-31	6-9-11-14-15-16-17-31	3-6-9-11-14-15-16-17-31
Drive	3-9-11-13-15	3-9-11-13-15-23	3-9-11-15-23
Attaque au filet	3-12-35	3-12-35	3-12-35
Dégagé du revers	18-20-33	16-17-18-20-33	16-17-18-20-24-33
Retour de smash	13-15-19-35	10-13-15-19-23-26-35	10-13-15-19-23-26-35
Déplacements vers l'avant et déplacements latéraux	6-7-8-14-16-17-36	6-7-8-14-16-17-23-28-29-33-36	6-7-8-14-16-17-23-24-25-28-29-33
Déplacements vers l'arrière	5-6-7-8-14-16-17-36	5-6-8-14-16-17-23-28-33-36	6-7-8-14-16-17-23-24-25-28-33
Retour de service (en simple)	4-6-8-32	4-6-8-29-29	4-6-8-29
Jeu avant-arrière	7-8-11-17-30-32	7-8-11-17-23-28-30-33	7-8-11-17-23-24-25-28-33
Jeu aux quatre coins	11-16-17-27	11-16-17-23-27-28-30-33	11-16-17-23-24-25-28-30-33
Jeu sur le revers de l'adversaire	15-16-18-20-34	15-16-17-18-20-22-23-28-34	15-16-17-18-20-22-23-24-25-28
Variation des coups	3-4-15-16-17-18-32-34	3-4-9-15-16-17-18-22-23-25-28-30-33	9-15-16-17-18-22-23-24-25-28-30-33
Variation du rythme du jeu	7-8-15-16-19-34	7-8-15-16-19-22-25-34	7-8-15-16-19-22-24-25
Retour de service (en double)	3-12-19-22-25	3-12-19-22-25	3-12-19-22-25
Attaque au centre	19	19-22	19-22-25

1. Relation corps-raquette-volant (avec ou sans déplacement)

▶ Faire bondir le volant sur la raquette 20 fois de suite, la paume vers le plafond.

▶ Faire bondir le volant sur la raquette 20 fois de suite, la paume vers le sol.

▶ Faire bondir le volant sur la raquette 20 fois de suite, la paume vers le plafond alternant avec la paume vers le sol.

Objectifs : prendre conscience que la raquette est le prolongement du bras ; intégrer le rapport de distance entre le corps et le volant.

2. Coups contre le mur (utiliser un vieux volant)

▶ Envoyer le volant contre le mur.

Objectifs : travailler les frappes basses ; travailler la relation entre le corps, la raquette et le volant ; favoriser la synchronisation des gestes avec différentes trajectoires.

3. Retours de service court : échanges de trois coups

▶ Tandis qu'un partenaire exécute des services courts, effectuer des retours de service permettant de prendre l'avantage. Si ces retours sont bien exécutés, le partenaire devrait être incapable d'attaquer et devrait être régulièrement contraint de relever le volant. Frapper du côté dominant le plus possible. Répéter l'exercice 10 fois, puis inverser les rôles.

Objectifs pour le serveur : améliorer l'efficacité technique et globale du service court.

Objectifs pour le receveur : accroître l'éventail de ses retours de service ainsi que leur précision.

4. Retours de service long en simple

▶ Alors qu'un partenaire exécute des services longs, effectuer des retours en visant un des quatre coins du terrain adverse à l'aide d'amortis et de dégagés offensifs et défensifs. Les amortis doivent tomber en avant de la ligne de service court, près d'une ligne de côté, et les dégagés, dans le couloir de fond. Si joueur est incapable de dégager efficacement par manque de puissance, il peut se concentrer sur les amortis. Frapper du côté dominant le plus possible.

Objectifs pour le serveur : améliorer l'efficacité technique et globale du service long.

Objectifs pour le receveur : améliorer le geste et la précision des amortis et des dégagés.

5. Exercices de dégagés avec déplacements

▶ Effectuer des dégagés de façon continue. Après chaque coup, revenir au centre du demi-terrain, toucher un cône ou une cible quelconque avant de reculer pour aller exécuter le prochain dégagé.

Objectifs : améliorer les dégagés, les déplacements vers l'avant et vers l'arrière ainsi que le repositionnement au centre après chaque coup.

6. Déplacements vers l'avant et vers l'arrière avec deux lanceurs

▶ Joueur A : servir long.

▶ Joueur B : amortir ou dégager.

▶ Joueur C : lancer un volant avec la main, près du filet.

▶ Joueur B : exécuter un lob ou un coup au filet.

Objectifs : travailler les déplacements et les coups de base effectués de la zone arrière et de la zone avant. Même si le joueur B manque certains de ses retours, l'exercice doit se poursuivre sans interruption.

7. Matchs en simple sur un demi-terrain

▶ Jouer des matchs en simple sur un demi-terrain.

Objectifs : travailler les déplacements vers l'avant et vers l'arrière ; améliorer la précision des coups, les joueurs disposant d'une moins grande surface pour effectuer leurs retours ; favoriser les coups du côté dominant ; apprendre à utiliser toute la longueur du terrain adverse.

8. Matchs en simple sur un demi-terrain avec service long obligatoire

▶ Jouer des matchs en simple sur un demi-terrain en ayant recours uniquement à des services longs lors des mises en jeu.

Objectifs : travailler les déplacements vers l'avant et vers l'arrière ; améliorer la précision des coups (les joueurs disposant d'une moins grande surface de jeu pour effectuer leurs retours) ; favoriser les coups du côté dominant ; apprendre à utiliser toute la longueur du terrain adverse ; améliorer les services longs et les retours de service (amortis et dégagés offensifs).

9. Matchs en simple sur un demi-terrain avec interdiction de smasher

▶ Jouer des matchs en simple sur un demi-terrain en s'interdisant de smasher.

Objectifs : inciter les joueurs à élargir leur éventail de coups ; varier le rythme du jeu ; développer la patience ; améliorer la précision des coups et apprendre à les utiliser en fonction d'intentions tactiques.

10. Matchs en simple sur un demi-terrain avec interdiction d'exécuter des coups au filet

▶ Jouer des matchs en simple sur un demi-terrain en s'interdisant d'exécuter des coups au filet.

Objectifs : améliorer les coups en hauteur (dégagés, amortis, smashs), les lobs et les retours de smash ; contrôler et varier la hauteur des trajectoires ; favoriser l'utilisation des amortis afin d'exploiter la zone avant.

11. Matchs en simple sur un demi-terrain avec interdiction d'exécuter des lobs

▶ Jouer des matchs en simple sur un demi-terrain en s'interdisant d'exécuter des lobs.

Objectifs : favoriser l'exploitation de la zone avant en utilisant les amortis et les coups au filet puisque l'adversaire ne peut exécuter de lobs ; améliorer les coups au filet, les placements au milieu du terrain et les drives.

12. Matchs en simple sur l'ensemble du terrain avec service court obligatoire

▸ Jouer des matchs en simple sur tout le terrain en ayant recours uniquement à des services courts lors des mises en jeu.

Objectifs : améliorer les services courts ; obliger le receveur à effectuer des retours de service qui ressemblent à ceux que l'on pratique en double (lobs offensifs, drives, placements latéraux, coups au filet).

13. Matchs en simple sur un demi-terrain ou sur l'ensemble du terrain avec interdiction de dégager

▸ Jouer des matchs en s'interdisant d'exécuter des dégagés.

Objectifs : améliorer la précision et le caractère offensif du jeu ; valoriser le recours aux amortis, aux smashs et aux drives.

14. Matchs en simple sur l'ensemble du terrain avec obligation de terminer l'échange en utilisant un amorti ou un coup au filet

▸ Jouer des matchs lors desquels, pour qu'un joueur marque un point, le volant doit absolument toucher le sol dans la zone avant du terrain (entre le filet et la ligne de service court) ou se diriger vers cette zone alors que l'adversaire commet une faute.

Objectifs : exploiter la zone avant ; affiner les amortis et les coups au filet ; améliorer la qualité et la vitesse des déplacements ; favoriser une bonne utilisation de toute la longueur du terrain.

15. Interdiction pour un joueur de smasher et pour l'autre de dégager et de lober

▸ Jouer des matchs en simple en interdisant à un joueur d'exécuter des smashs et à l'autre de faire des dégagés et des lobs.

Objectifs pour celui qui ne peut ni dégager ni lober : améliorer les amortis, les coups au filet, les drives, les smashs et les déplacements ; favoriser le jeu d'attaque et les trajectoires rapides à basse altitude.

Objectifs pour celui qui ne peut smasher : favoriser les changements de rythme ; varier les coups ; exploiter tout l'espace de jeu ; développer sa patience ; et améliorer la qualité des retours de smash.

16. Matchs sur un demi-terrain ou sur l'ensemble du terrain en évitant la zone centrale

▸ Jouer des matchs lors desquels un joueur doit, pour marquer un point, mettre fin à l'échange en envoyant le volant dans le couloir de fond ou dans la partie avant du terrain (entre le filet et la ligne de service court), ou se diriger vers l'une de ces zones alors que l'adversaire commet une faute. Si le volant tombe dans la zone centrale, aucun point n'est marqué. Jouer des parties de 11 points. Faire le même exercice à deux contre un. Pour les joueurs intermédiaires et avancés, un volant qui tombe en zone centrale procure un point à l'adversaire.

Objectifs : contraindre les joueurs à effectuer des retours précis et à utiliser la pleine longueur du terrain ; développer les services longs, les dégagés, les amortis, les coups au filet, les drives et les lobs.

17. Jeu aux quatre coins

▶ Jouer des matchs lors desquels un joueur doit, pour marquer un point, mettre fin à l'échange en envoyant le volant dans l'un des quatre coins du terrain. Si le volant tombe ailleurs, aucun point n'est marqué. Jouer des parties de 11 points. Pour les joueurs intermédiaires et avancés, un volant qui tombe en zone centrale procure un point à l'adversaire.

Objectifs : effectuer des retours précis ; utiliser la pleine longueur du terrain ; acquérir et améliorer les services longs, les dégagés, les amortis, les coups au filet, les drives et les lobs.

18. Jeu sur le revers de l'adversaire

▶ Jouer des matchs sur l'ensemble du terrain lors desquels tous les coups sont permis. Pour marquer un point, cependant, l'un des deux derniers coups exécutés doit avoir été dirigé vers le revers de l'adversaire. Jouer des parties de 11 ou de 21 points.

Objectifs : exploiter le revers de l'opposant, le revers étant souvent la principale faiblesse des joueurs ; améliorer et consolider les coups du revers et les coups au-dessus de la tête ; apprendre à utiliser les coups en fonction d'intentions tactiques, en jouant sur les faiblesses de l'adversaire.

19. Matchs avec une équipe en situation d'attaque et l'autre en situation de défense

▶ Jouer des matchs, à deux contre deux ou à deux contre un, lors desquels le camp en attaque ne peut exécuter que des smashs, des demi-smashs, des dégagés offensifs, des drives, des amortis, des coups au filet et des attaques au filet, alors que le camp en défense ne peut faire que des lobs, des dégagés, des drives et des retours de smash (au filet, drives ou dégagés en hauteur et en profondeur).

Objectifs : améliorer l'attaque et la défense active ; développer les positions offensive et défensive.

20. Mouvement du dégagé du revers (sans volant)

▶ Se placer sous un panier de basket-ball. À l'aide d'une serviette, reproduire le mouvement du dégagé du revers en essayant de fouetter le panier avec la serviette. Se référer aux gestes techniques du dégagé du revers (élévation du coude, extension du bras, supination). Bien que l'on ne soit pas obligé de faire cet exercice sous un panier, il y est facile de visualiser la hauteur du point de contact avec le volant, de même que de saisir l'importance de le frapper sur le côté du corps.

Objectif : améliorer la qualité du mouvement du dégagé du revers.

21. Échanges avec deux volants

▶ Faire des échanges en utilisant deux volants simultanément. Tous les coups doivent être frappés au-dessus de la tête. Il est préférable d'exécuter des retours en hauteur afin de se donner du temps pour se replacer en vue du coup suivant. Il faut également que le point de contact avec le volant soit le plus haut possible.

Objectifs : développer la concentration, la vision périphérique et le dégagé défensif.

22. Matchs à deux contre un avec conclusion de l'échange la plus rapide possible

▶ Jouer des matchs à deux contre un lors desquels le joueur seul doit gagner l'échange le plus tôt possible. Lorsqu'il réussit à remporter un échange en ayant exécuté cinq coups et moins, il marque deux points. Jouer des parties de 11 points.

Objectifs : encourager le joueur seul à attaquer et à analyser les faiblesses des adversaires ; améliorer la précision et les coups d'attaque (smashs, drives, dégagés offensifs, lobs offensifs, amortis).

23. Matchs avec obligation de gagner la partie en moins de 10 minutes

▶ Jouer des matchs qu'un joueur doit gagner en moins de 10 minutes ; s'il dépasse ce délai, il perd. La contrainte ne s'applique qu'à un joueur.

Objectifs (pour le joueur sous contrainte) : encourager le joueur à attaquer et à mettre de la pression sur l'adversaire ; favoriser l'utilisation de coups puissants dont la trajectoire est tendue ; exploiter toute la surface de jeu et varier le rythme du jeu.

Objectifs (pour le joueur sans contrainte) : exploiter toute la surface de jeu et varier le rythme du jeu ; apprendre à faire durer les échanges.

24. Échanges en simple sur un demi-terrain ou sur l'ensemble du terrain avec cueillette de volants

▶ Placer trois volants sur la ligne de côté, près de la ligne de service court. Les joueurs tentent d'aller en cueillir un sans interrompre l'échange. Celui qui réussit et qui remporte l'échange marque un point. Celui qui réussit mais qui ne parvient pas à gagner l'échange doit remettre le volant ramassé à sa place. Le vainqueur est celui qui réussit à marquer trois points, donc à ramasser les trois volants.

Objectifs : améliorer les déplacements, la vision périphérique et l'utilisation des coups et trajectoires ; apprendre à jouer sous pression, à prendre des risques et à se défendre.

25. Matchs à un contre deux

▶ Jouer des matchs seul contre deux adversaires.

Objectifs : améliorer les déplacements ainsi que la précision des divers coups et trajectoires ; changer le rythme du jeu (le rythme n'est pas celui du double parce que le joueur seul impose un rythme plus lent) ; développer l'endurance cardiovasculaire.

26. Échanges devant se terminer par des smashs

▶ Jouer des matchs lors desquels, pour que les joueurs marquent des points, les échanges doivent se terminer par des smashs.

Objectifs : favoriser l'utilisation des coups près du filet et des trajectoires basses ; obliger l'adversaire à relever le volant pour pouvoir terminer l'échange avec un smash ; améliorer la précision des smashs et l'attaque (surtout en puissance).

27. Exercices de coups spécifiques à trois joueurs sur un demi-terrain

▶ Faire des exercices où un joueur peut seulement amortir ou dégager. Les deux autres joueurs sont en position avant-arrière. Le joueur avant est responsable de renvoyer les amortis avec des lobs. Le joueur arrière doit exécuter des dégagés pour répondre à ceux du joueur seul.

Objectif pour le joueur seul : améliorer l'efficacité des coups exécutés de la zone arrière (amortis, dégagés).

Objectif pour le joueur avant : travailler les lobs.

Objectif pour le joueur arrière : travailler les dégagés.

Ce genre d'exercice permet à chaque joueur de porter son attention sur un seul ou deux mouvements à la fois, et limite les déplacements.

28. Matchs multipoints

▶ Jouer des matchs de 21 points en simple, sur l'ensemble du terrain, avec des échanges gagnés n'ayant pas tous la même valeur. Si l'échange prend fin alors que le volant tombe près du filet (entre le filet et la ligne de service court), le joueur marque cinq points. Si l'échange prend fin alors que le volant tombe dans le couloir de fond, le joueur marque trois points. Si l'échange prend fin alors que le volant tombe entre les lignes de service court et de service long en double, le joueur marque un seul point.

Objectifs : utiliser de manière optimale tout l'espace de jeu en dirigeant le volant vers les zones avant et arrière ; utiliser une variété de coups ; et viser les quatre coins.

29. Matchs en simple avec obligation de servir du fond du terrain

▶ Jouer des matchs en simple avec obligation de servir du fond du terrain.

Objectif pour le serveur : reprendre position au centre de son demi-terrain, immédiatement après avoir effectué son service afin de bien couvrir la partie avant.

Objectif pour le receveur : exploiter la zone avant en exécutant des amortis et des coups au filet.

30. La croisée des chemins sur un demi-terrain ou sur l'ensemble du terrain

▶ Coller des « x » au centre de l'espace de jeu de chacun. Jouer des matchs de 11 ou de 21 points. Après chaque coup, chaque joueur doit retourner au centre pour toucher son « x » avec sa main libre. On marque des points de deux façons : si son adversaire ne réussit pas à toucher au « x » ou si l'on touche son « x » et que l'on remporte l'échange.

Objectifs : utiliser tous les coups et exploiter tout l'espace de jeu ; apprendre à se déplacer rapidement dans toutes les directions.

31. Matchs au filet

▶ Jouer des matchs de 11 ou de 21 points sur un demi-terrain ou sur l'ensemble du terrain. Effectuer des services courts en diagonale dirigés vers le carré de réception. Par la suite, faire en sorte que le volant ne tombe plus derrière la ligne de service court, sans quoi l'adversaire marque un point. Les seuls coups permis sont les coups au filet.

Objectif : améliorer la qualité des coups au filet et des services courts.

32. Le flambeau

▶ Former deux équipes de trois à cinq personnes. Un seul joueur par équipe prend position sur le demi-terrain pendant que ses partenaires se mettent en file derrière la ligne de fond. Le joueur actif n'effectue qu'un seul retour, pour ensuite quitter le terrain par l'un des deux côtés et se remettre en file, faisant place au suivant, qui vient exécuter le deuxième coup, et ainsi de suite. L'équipe qui gagne l'échange marque un point. Jouer des matchs de 11 ou de 21 points. Il existe deux variantes à cette mise en situation : a) si un joueur perd deux échanges, il doit cesser de jouer ; b) si une équipe perd deux échanges consécutifs, elle perd une raquette, et les joueurs doivent se prêter les raquettes pendant les échanges, ce qui constitue un handicap supplémentaire.

Objectifs : favoriser l'utilisation de trajectoires en hauteur afin de permettre le changement de joueurs ; utiliser toute la longueur du terrain ; apprendre à se déplacer rapidement ; développer la communication et l'esprit d'équipe ; exploiter la zone avant.

33. La tornade

▶ Se répartir en groupes de trois (ou de quatre) par terrain. Un joueur est seul de son côté alors que ses deux partenaires sont de l'autre, près du filet. Ceux-ci doivent exécuter de façon continue des retours en direction des quatre coins, dans un sens préétabli (horaire ou antihoraire). Le joueur qui est seul doit toujours renvoyer le volant près du filet. S'il réussit quatre retours consécutifs sans erreur, donc un tour complet, il marque un point. Inverser les rôles lorsque l'exécutant totalise cinq points.

Objectifs : favoriser l'exploitation de la partie avant et utiliser une variété de coups permettant de l'atteindre ; apprendre à se déplacer rapidement dans toutes les directions et à enchaîner différentes actions motrices.

34. Matchs à un contre tous

▶ Former deux équipes de deux à quatre personnes, chacune ayant son demi-terrain. Un seul joueur par équipe prend place, et les autres attendent sur le côté du terrain. Le gagnant d'un échange marque un point et reste sur le terrain tant qu'il remporte les échanges. Lorsqu'il perd, il quitte le terrain pour faire place au joueur suivant. Le joueur évincé conserve ses points en vue de les accumuler. Le premier qui atteint 11 ou 21 points gagne la partie.

Objectifs : développer la régularité ; encourager le dépassement personnel et la saine compétition ; améliorer l'utilisation des tactiques de base.

35. Matchs à deux contre un sur un demi-terrain avec attaque en double

▶ Jouer des matchs à deux contre un. Les membres de l'équipe double se placent en position d'attaque, l'un derrière l'autre. Le joueur arrière attaque (smashs, amortis, drives) alors que celui qui est en avant coupe les volants et met l'adversaire seul sous pression. Ce dernier doit contrer les attaques en effectuant des retours contrôlés (drives, lobs offensifs ou défensifs, retours de smash au filet, tendus ou lobés).

Objectifs : accroître l'efficacité de l'attaque en double ainsi que la qualité et l'efficacité des retours en situation défensive.

36. Le miroir

▶ Deux joueurs sont face à face sur un terrain. Pendant un certain temps, un joueur se déplace à vitesse maximale tandis que l'autre « fait le miroir » en effectuant les mêmes déplacements au même moment.

Objectif pour le joueur modèle : se déplacer plus rapidement que son adversaire.

Objectifs pour le joueur miroir : se déplacer rapidement dans toutes les directions ; être en mesure d'effectuer deux tâches en même temps, soit observer l'adversaire et se déplacer.

TABLEAU 7   Problèmes et solutions

Problèmes	Causes	Solutions
Le joueur est en retard sur le volant.	■ Il est hypnotisé par le volant ; il en oublie même de bouger.	■ Se concentrer pour entamer le déplacement en direction de l'envoi dès que l'adversaire frappe le volant.
	■ Il n'utilise pas les bons pas pour se déplacer.	■ Faire des déplacements sans volant. ■ Faire des déplacements courts en prenant soin de faire les bons pas.
	■ Il ne se repositionne pas au centre après chaque coup.	■ Se repositionner au centre après chaque coup. ■ S'exercer à toucher une cible au centre du terrain entre les coups.
	■ Il se déplace trop lentement.	■ Exécuter des coups dont la trajectoire est haute et lente. ■ Jouer sur un demi-terrain.
Le joueur manque le volant.	■ Il fait preuve d'une mauvaise coordination main-raquette-volant.	■ Faire des exercices de manipulation avec la raquette. ■ Ramasser un volant au sol et le faire bondir sur la raquette. ■ Raccourcir le mouvement. ■ Toujours garder un œil sur le volant.
	■ Il a de la difficulté à évaluer la trajectoire du volant.	■ Faire des exercices face au mur avec des volants lancés. ■ Raccourcir le mouvement. ■ Faire des exercices avec des volants frappés haut et au milieu du terrain.
	■ Il a un problème technique (mauvaise prise de raquette, mouvement mal exécuté).	■ Faire des exercices avec volants lancés en se concentrant sur quelques éléments techniques. ■ Raccourcir le mouvement.
	■ Il n'est pas en équilibre au moment du coup *(voir problème suivant)*.	
Le joueur est en déséquilibre lors du coup.	■ Il n'utilise pas les bons pas.	■ Faire des déplacements sans volant. ■ Faire des déplacements courts en prenant soin de faire les bons pas.
	■ Il ne termine pas son déplacement sur la bonne jambe (jambe dominante).	■ Faire des déplacements courts avec ou sans volant, mais avec obligation de terminer sur la jambe dominante. ■ Faire des exercices avec des volants lancés.
	■ Ses deux pieds ne sont pas en contact avec le sol.	■ Prendre le temps de poser les deux pieds au sol avant de frapper.
	■ Il ne fait pas de fente de la jambe dominante avant le coup.	■ Stabiliser le corps en effectuant une fente avant le coup. ■ Faire des exercices avec volants lancés ou envoyés très haut.

TABLEAU 7   Problèmes et solutions (suite)

Problèmes	Causes	Solutions
Le joueur manque de puissance. Problème d'exécution technique du mouvement.	■ Il fait une extension incomplète du bras. ■ Il ne fait pas de pronation ou de supination (ou ne la complète pas). ■ Il fait un transfert de poids déficient. ■ Il effectue une poussée de sa jambe dominante ou une rotation de ses hanches ou de ses épaules. ■ Il fait un mouvement trop lent. ■ Son mouvement se termine trop rapidement.	■ Faire des exercices sans déplacement avec des volants lancés avec les mains ou frappés en hauteur par un partenaire. ■ Adopter d'abord la bonne posture de base pour ensuite se concentrer sur l'élément technique à améliorer. ■ Raccourcir le mouvement mais l'exécuter rapidement. ■ S'assurer de bien terminer le mouvement ■ Faire le même genre d'exercices en intégrant un déplacement court. ■ Allonger graduellement le mouvement.
Le joueur manque de puissance. Problème de coordination, de dissociation segmentaire ou de synchronisme.	■ Il adopte une mauvaise position par rapport au volant. ■ Il frappe le volant au niveau des yeux. ■ Quand le volant arrive de haut, il le laisse descendre trop longtemps. ■ Il joue le volant derrière lui, au-dessus de sa tête ou sur le côté de son corps. ■ Il fait une mauvaise dissociation segmentaire au niveau des bras et des jambes ou de la tête et du tronc.	■ Faire des exercices de manipulation afin de développer la relation corps-raquette. ■ Faire des exercices sans déplacement avec des volants lancés avec les mains ou frappés en hauteur. ■ Faire des exercices avec des volants dont la trajectoire est haute et courte afin de s'obliger à foncer sur le volant. ■ Adopter d'abord la bonne posture de base pour ensuite prendre le temps de bien analyser la trajectoire du volant et ajuster sa posture à sa chute. ■ Raccourcir le mouvement rapidement. ■ S'assurer de bien terminer le mouvement.
Le joueur manque de puissance. Problème de déplacement qui nuit à l'exécution correcte du mouvement *(voir page précédente)*.	■ Il est en retard sur le volant. ■ Il est en déséquilibre lors du coup.	■ Faire des exercices avec des volants lancés et des déplacements courts. ■ Par la suite, accroître la longueur des déplacements.
Le joueur manque de précision. Problème d'exécution technique du mouvement.	■ Ses mouvements manquent de fluidité ou sont mal exécutés.	■ Raccourcir le mouvement et se concentrer sur les éléments qui ne sont pas bien maîtrisés. ■ Faire des exercices avec des volants lancés ou frappés en hauteur. ■ S'assurer de bien terminer le mouvement.
Le joueur manque de précision. Problème de coordination, de dissociation segmentaire ou de synchronisme.	■ Il laisse descendre le volant trop longtemps, diminuant ainsi son angle d'attaque.	■ Faire des exercices avec des volants dont la trajectoire est haute et courte afin de s'obliger à foncer sur le volant. ■ Faire des exercices avec des volants lancés en se concentrant pour que le point de contact soit le plus haut possible.
Le joueur manque de précision. Problème de déplacement qui nuit à l'exécution correcte du mouvement *(voir page précédente)*.	■ Il se prépare mal et adopte une mauvaise position par rapport au volant.	■ Faire des exercices de manipulation afin de développer la relation corps-raquette.
	■ Il frappe le volant alors que celui-ci est derrière lui ou au-dessus de sa tête.	■ Faire des exercices sans déplacements avec des volants lancés avec les mains ou frappés en hauteur. ■ Faire des exercices avec des volants dont la trajectoire est haute et courte afin de s'obliger à foncer sur le volant.
	■ Il fait une mauvaise dissociation segmentaire au niveau des bras et des jambes ou de la tête et du tronc.	■ Adopter d'abord la bonne posture de base pour ensuite prendre le temps de bien analyser la trajectoire du volant et ajuster sa posture à sa chute. ■ Raccourcir le mouvement rapidement. ■ S'assurer de bien terminer le mouvement. ■ Adopter la bonne position de base. ■ Se concentrer sur les mouvements distincts des bras et des jambes. ■ Faire des exercices de coups droits en hauteur avec des volants lancés. ■ Faire des exercices de services longs et de coups par en dessous.
	■ Il peine à bien se positionner sur le terrain.	■ Avant un coup, se demander où l'on est sur le terrain. ■ Faire des exercices exigeant des déplacements avec retours en hauteur.
	■ Il est en déséquilibre au moment du coup.	■ *Voir tableau page précédente.*
	■ Il est en retard sur le volant.	■ *Voir tableau page précédente.*

TABLEAU 7   Problèmes et solutions (suite)

Problèmes	Causes	Solutions
Le joueur a des problèmes de trajectoire. Les retours longs manquent de hauteur et de profondeur. Les retours bas manquent de précision et sont souvent trop hauts. Le joueur a de la difficulté à frapper des coups à trajectoire descendante.	■ Il fait de mauvais déplacements, ce qui le retarde et le met en déséquilibre au moment du coup.	■ Faire des exercices et des séquences de coups avec des déplacements.
	■ Il laisse descendre le volant trop longtemps, diminuant ainsi son angle d'attaque.	■ Faire des exercices avec des volants lancés en se concentrant pour que le point de contact soit le plus haut possible.
	■ Il donne un mauvais angle à sa raquette lors du contact.	■ Faire des coups en variant l'angle de la raquette et en observer l'incidence sur le volant.
	■ Il fait une mauvaise exécution technique entraînant un manque de puissance ou de précision.	■ Faire des exercices avec des volants lancés en se concentrant sur quelques éléments techniques. ■ Raccourcir le mouvement.
	■ Il est mal positionné par rapport au volant.	■ Faire des exercices de manipulation afin de développer la relation corps-raquette. ■ Faire des exercices sans déplacements avec des volants lancés avec les mains. ■ Se concentrer afin de bien se positionner par rapport au volant.

CHAPITRE 9

L'AUTOÉVALUATION DE L'EFFICACITÉ
EN SITUATION DE JEU (ÉTAPE 5)

Dans ce chapitre, nous vous proposons des outils d'analyse de votre efficacité technique et tactique en situation réelle de jeu. Dans vos cours, vous êtes appelé à développer et à appliquer les habiletés de base en jouant divers types de matchs. Afin de stimuler votre intérêt et votre participation, nous vous proposons de faire des tournois, en particulier un tournoi échelle en simple, un tournoi à double élimination en simple et un tournoi à la ronde en double. Vous trouverez les grilles de tournois correspondantes, et bien d'autres, sur le Compagnon Web de l'ouvrage.

Pour faciliter l'analyse de votre efficacité en situation de jeu, nous vous proposons des grilles d'autoévaluation. En les utilisant, vous prendrez conscience de la manière dont vous jouez, de vos forces et de vos faiblesses. Cela vous permettra de déterminer les éléments tactiques à améliorer et de vous fixer des objectifs tactiques. Se perfectionner au badminton implique en effet non seulement de développer ses habiletés techniques, mais aussi de bien appliquer les tactiques de base. Avant de vous autoévaluer, relisez le chapitre 4 sur les tactiques.

Nous vous conseillons d'expérimenter les divers types de matchs et de tournois de manière progressive, en tenant compte de votre niveau et de celui de vos partenaires. Les tournois ont pour objectifs votre progression, votre participation et le dépassement personnel. Si vous êtes débutant ou débutant-intermédiaire, nous vous recommandons de commencer par des matchs en simple sur un demi-terrain.

LE TOURNOI ÉCHELLE EN SIMPLE

Dans un tournoi échelle, on classe d'abord chaque joueur en fonction de ses aptitudes, afin de lui attribuer une position. Le joueur le plus fort d'un groupe occupe la position n° 1, le deuxième, la position n° 2, et ainsi de suite (voir le *tableau 8* ci-dessous). Le but de chaque joueur est, durant toute la session, d'améliorer son classement en jouant des matchs contre des joueurs mieux classés que lui.

TABLEAU 8 Le classement des joueurs

1	2	3	4
5	6	7	8
9	10	11	12
13	14	15	16
17	18	19	20
21	22	23	24
25	26	27	28
29	30	31	32

Semaine :   **Rang :**   **Semaine :**   **Rang :**

Vous pouvez lancer des défis aux joueurs qui vous devancent de cinq positions ou moins, et ceux-ci ne peuvent refuser l'affrontement. Cependant, vous ne pouvez jouer deux fois contre le même adversaire lors d'une même séance. Le nombre de points à marquer pour remporter un match (11 ou 21) est déterminé par votre enseignant, qui décide également s'il y a prolongation ou non en cas d'égalité.

Après chaque match, remplissez le *tableau 9 : La compilation des résultats* et faites signer votre adversaire, qui approuve ainsi le résultat. Vous obtiendrez, progressivement, un portrait global de vos performances. En plus de savoir si vous jouez régulièrement ou non, votre professeur pourra également connaître vos opposants (vous ne devez pas toujours jouer contre les mêmes), vos résultats et les éléments que vous avez travaillés pendant vos matchs.

TABLEAU 9   La compilation des résultats

N°	Date du match	Nom et position de l'opposant	Score obtenu	Éléments travaillés (techniques ou tactiques)	Signature de l'opposant
1					
2					
3					
4					
5					
6					
7					
8					
9					
10					
11					
12					
13					
14					
15					
Semaine:	Rang:		Semaine:	Rang:	

LE TOURNOI À DOUBLE ÉLIMINATION EN SIMPLE

Dans un tournoi à double élimination en simple, les joueurs sont répartis en 4 sous-groupes de 8 (pour un groupe de 32 personnes), en fonction de leur niveau de jeu (le classement d'un tournoi échelle peut être fort utile). Si un groupe comprend moins de 8 joueurs, par exemple 6, on attribue un laissez-passer aux 2 plus forts, qui n'ont alors pas à jouer de match lors de la première ronde.

Un joueur est éliminé après deux défaites (on peut donc remporter le tournoi en ayant perdu un seul match). Le nombre de points à marquer pour remporter un match (11 ou 21) est déterminé par l'enseignant. Il décide également s'il y a prolongation ou non en cas d'égalité.

Notez les résultats des matchs dans l'arborescence ci-dessous. Pendant le tournoi, faites une autoévaluation de votre jeu en simple en vous servant de la *Fiche d'autoévaluation en simple*. Demandez aussi à un autre joueur de vous évaluer à l'aide de la *Fiche d'évaluation en simple par un pair* (p. 132).

Arborescence d'un tournoi à double élimination en simple

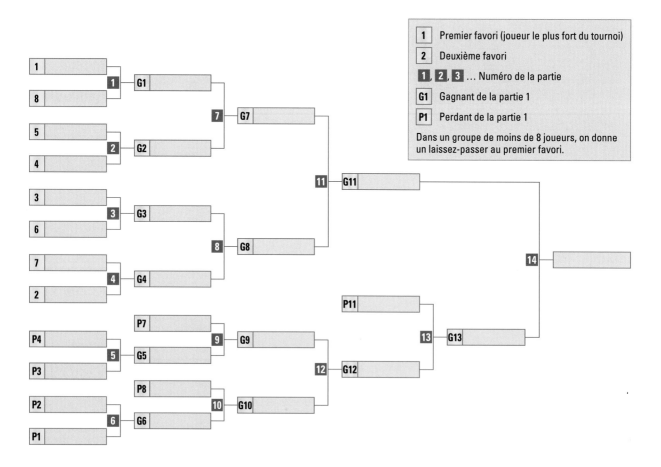

Bilan de la session

Nom : _____   *Groupe :* _____

À la fin de la session, un bilan général s'impose. Vous devez déterminer, en vous expliquant et en vous justifiant, si vous avez atteint ou non vos objectifs. Pour ce faire, vous devez porter un jugement critique sur votre démarche d'apprentissage. Quels étaient les quatre coups et l'attitude que vous souhaitiez améliorer ? Si vous avez atteint vos objectifs, dans quelle mesure et par quels moyens l'avez-vous fait ? Quelles sont les plus grandes difficultés que vous avez rencontrées ? De quoi êtes-vous le plus fier ? Quelles habiletés techniques et tactiques avez-vous améliorées de façon significative ? Comment jugez-vous votre niveau de progression ?

Fiche d'autoévaluation de chaque cours

Nom : _____   **Groupe :** _____

À la fin de chaque cours, vous devez juger de la qualité de votre travail et des efforts que vous avez fournis. Prenez le temps de préciser et de déterminer les habiletés techniques et tactiques que vous avez améliorées. Nous vous encourageons à vous dépasser afin que vous puissiez progresser.

Sem.	Date J/M	Effort Échauffement Exercices /3	Effort au jeu /3	Efficacité au jeu /2	Éléments techniques ou tactiques améliorés durant le cours /2	Total /10	Signature
1							
2							
3							
4							
5							
6							
7							
8							
9							
10							
11							
12							
13							
14							

Évaluation de la progression de l'étudiant par l'enseignant

Nom : _____   **Groupe :** _____

L'objectif du cours étant d'améliorer son efficacité, le professeur doit être en mesure d'observer une progression dans le développement des habiletés et des aptitudes de chaque étudiant. C'est pourquoi, on lui recommande d'effectuer une évaluation globale de l'apprenant en situation de jeu, au début (cinq premiers cours) et à la fin de la session, afin de constater s'il a progressé ou non. Il lui faut évaluer la qualité générale des postures, des positionnements, des coups, des déplacements et des tactiques de base. Dans les colonnes « Niveau de maîtrise au début » et « Niveau de maîtrise à la fin », il doit quantifier le niveau d'habileté de l'apprenant en se basant sur la légende ci-dessous. À la fin de session, dans la colonne progrès, il précisera les éléments qui ont été améliorés. Dans l'ensemble, l'apprenant devrait avoir un niveau de maîtrise supérieur à celui du début.

Photo

Habiletés techniques et tactiques	Éléments techniques et tactiques	LÉGENDE 1. Pauvre 2. Satisfaisant 3. Bon 4. Excellent		
		Niveau de maîtrise au début	Niveau de maîtrise à la fin	À améliorer (cochez)
Posture et positionnement	Au service			
	En réception de service			
	En défense			
Coups qui requièrent de la puissance (service long, dégagé, smash, lob, drive, dégagé du revers)	Volant frappé devant soi			
	Volant frappé le plus haut possible, en faisant une extension du bras			
	Rotation vive de l'avant-bras juste avant le contact avec le volant (pronation ou supination)			
	Rotation des épaules			
	Transfert de poids initié par la jambe dominante			
Déplacements	Retour au centre après chaque coup			
	Déplacements vers l'avant et déplacements latéraux rapides et stables ; blocage avec la jambe dominante à l'aide d'une fente avant ou latérale (dernier pas)			
	Déplacements vers l'arrière du côté dominant en pas chassés ou croisés, rapides et stables ; blocage avec la jambe dominante (dernier pas)			
	Bonne position par rapport à la trajectoire du volant (effectue de bons pas d'ajustement)			
Tactiques de base	Retours au centre évités			
	Utilisation de toute la longueur du terrain, variation des frappes longues et courtes (dégagé, amorti, lob, coup au filet, drive, etc.)			
	Coups tombant loin de l'adversaire, aux quatre coins (important en retour de service)			
	Exploitation du revers de l'adversaire			
	Variation des trajectoires et du rythme du jeu (hauteur et puissance des coups)			
Coups sélectionnés pour les objectifs (efficacité globale et précision)				

PHOTOS COMPLÉMENTAIRES

Vous trouverez ci-dessous les photos illustrant les trois phases des revers du drive, de l'attaque au filet et du coup au filet, ainsi que les trois phases du coup droit du retour de smash, en complément des fiches 15, 16, 17 et 20. Le Compagnon Web présente des vidéos de ces coups.

Drive du revers

Attaque au filet du revers

Coup au filet du revers

Retour de smash du coup droit

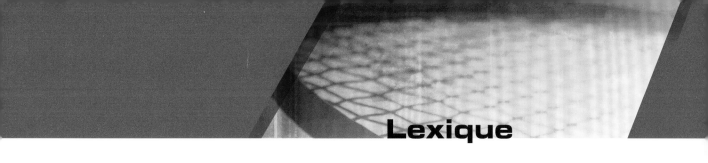

Amorti : Coup au-dessus de la tête qui s'effectue de la partie arrière du terrain et dont la trajectoire est basse et descendante. Le volant doit retomber près du filet, dans le demi-terrain adverse. Ce coup vise à surprendre l'adversaire et à l'obliger à relever le volant.

Armer le bras : Lever le coude jusqu'au niveau des épaules et l'amener vers l'arrière afin d'étirer les muscles et de les mettre sous tension.

Attaque au filet : Coup vif qui s'exécute à la hauteur de la tête, à partir de la zone avant. Sa trajectoire est courte et en piqué ; le volant passe près de la bande supérieure du filet et touche le sol derrière la ligne de service court adverse. On l'utilise pour mettre fin à un échange en rabattant des retours trop hauts.

Base du volant : Partie arrondie du volant, en liège recouvert d'une cuirette, qu'on frappe avec la raquette.

Cadre de la raquette : Armature de la raquette, structure qui soutient le cordage et qui forme avec lui la tête de la raquette.

Cambrer le dos : Courber le dos en forme d'arc, vers l'arrière ou sur le côté.

Camp : Joueur (en simple), les deux joueurs d'une équipe (en double) ou encore le territoire défendu.

Coordination : Capacité de coordonner un geste avec un objet en mouvement.

Cordage de la raquette : Partie de la raquette constituée des cordes et entrant en contact avec le volant. Également appelé « tamis ».

Côté dominant : Côté du corps correspondant au bras de frappe. Un droitier a le bras droit dominant et la jambe droite dominante.

Côté non dominant : Côté du corps opposé au bras de frappe. Pour un droitier, il s'agit du côté gauche.

Couloir (ou corridor) de côté : En double, couloir situé sur le côté du terrain, sur toute la longueur.

Couloir (ou corridor) de fond : Partie du terrain qui est située complètement au fond, entre la ligne de service long en double et la ligne de fond. Pour le service en double, le volant ne peut atterrir dans cette zone.

Coup au filet : Coup joué par en dessous, à partir de la zone avant, tout près du filet, et dont la trajectoire est très courte. Il s'agit de rediriger le volant dans le camp adverse en le faisant raser le filet. Plus le volant tombe près du filet, plus il est difficile à renvoyer. L'objectif est de contraindre l'adversaire à relever le volant.

Coup brossé : Coup qui s'effectue en modifiant l'angle de la tête de la raquette par rapport au filet de manière à transmettre moins de force au volant et à le diriger en diagonale. Un droitier utilise surtout ce coup du côté gauche du terrain pour diriger le volant vers le côté droit (pronation de l'avant-bras accentuée).

Coup coupé : Coup qui s'effectue en modifiant l'angle de la tête de la raquette par rapport au filet de manière à transmettre moins de force au

volant et à le diriger en diagonale. Un droitier utilise surtout ce coup du côté droit du terrain pour diriger le volant vers le côté gauche (pas de pronation de l'avant-bras).

Coup droit : Coup frappé du côté dominant.

Dégagé : Coup frappé au-dessus de la tête qui s'effectue de la zone arrière et dont la trajectoire est en hauteur et en profondeur. Le volant franchit toute la longueur du terrain pour tomber dans le couloir de fond. Ce coup vise à repousser l'adversaire au fond de son demi-terrain.

Demi-court droit, gauche : Partie droite ou gauche de chaque demi-terrain, délimitée par la ligne médiane, la ligne de fond et le filet. En position défensive, en double, chaque joueur est responsable de protéger un demi-court, le droit ou le gauche.

Demi-terrain : Surface de jeu qu'un joueur ou une équipe doit protéger.

Drive : Coup puissant joué à la hauteur de la tête, dont la trajectoire est basse et tendue. Après être passé près du filet, le volant doit tomber à l'arrière du demi-terrain adverse. Ce coup vise à surprendre l'adversaire et à le mettre sous pression.

Échange : Série de coups échangés entre les deux camps au terme de laquelle est marqué un point. Un échange commence toujours par un service et prend fin dès que le volant touche le sol ou qu'une faute est commise.

Empennage du volant : Partie conique du volant, fabriquée à partir de plumes d'oie ou de nylon, dont le rôle est d'en ralentir la vitesse.

Extension : Mouvement qui vise à éloigner l'un de l'autre deux segments du corps ; position qui résulte de ce mouvement. Une extension du bras éloigne l'avant-bras du bras.

Faute : Manquement à une règle ou transgression d'une règle.

Feinte : Mouvement effectué dans le but de tromper ou de surprendre l'adversaire. Par exemple, simuler un smash et effectuer un amorti.

Fente avant ou latérale : Lors d'un déplacement vers l'avant ou vers le côté, grand pas de la jambe dominante avec blocage, poids sur le talon du pied dominant, genou de la jambe dominante fléchi à 90° ou plus et jambe non dominante en extension. L'élan du corps est ainsi freiné, en coup droit comme en revers.

Flexion : Mouvement par lequel une partie du corps (segment de membre, etc.) fait un angle avec la partie voisine ; position qui résulte de ce mouvement. Par exemple, lors d'une flexion du bras, l'avant-bras se rapproche du bras, formant ainsi un angle avec lui.

Jeu en suspension : Coup effectué à la suite d'un saut, le joueur étant dans les airs.

Ligne de côté : Ligne perpendiculaire au filet qui détermine la largeur du terrain. Elle n'est pas la même en simple qu'en double.

Ligne de fond : Ligne parallèle au filet la plus reculée qui délimite la longueur du terrain.

Ligne de service court: Ligne parallèle au filet la plus proche de ce dernier qui marque le début de la zone de service.

Ligne de service long en double: Ligne arrière située à 83 cm de la ligne de fond et qui délimite la longueur de la zone de service, en double.

Ligne médiane: Ligne perpendiculaire au filet qui sépare les deux zones de service.

Lob: Coup qui s'effectue par en dessous depuis la partie avant du terrain, près du filet dont la trajectoire est haute et profonde. Le volant doit tomber dans le corridor de fond adverse. Ce coup vise à repousser l'adversaire au fond de son court.

Manche: Composante d'un match qui prend fin lorsqu'un joueur ou une équipe réussit à marquer 21 points avec au moins 2 points d'avance.

Masquer: Dissimuler, cacher ses intentions, donner le moins d'information possible à l'adversaire sur le coup qu'on va effectuer.

Match: Compétition sportive entre deux camps (deux joueurs ou deux équipes) qui se termine lorsque l'un des deux remporte deux manches.

Mi-court, mi-terrain: Tiers central d'un demi-terrain.

Partie: Compétition sportive entre deux camps (deux joueurs ou deux équipes) qui se termine lorsque l'un des deux remporte deux manches.

Pas chassés: À la suite d'un pas de la jambe dominante, le pied non dominant glisse au sol pour aller rejoindre et chasser le pied dominant.

Pas courus: Pas semblables à ceux de la marche et de la course.

Pas croisés: À la suite d'un pas de la jambe dominante, le pied non dominant passe devant ou derrière le pied dominant de manière à ce que les jambes se croisent.

Permuter: Changer de position avec son partenaire.

Pivot: Mouvement que l'on effectue lorsqu'on tourne sur l'un de ses pieds tandis qu'il reste en contact continu avec le sol.

Placement latéral mi-court: Coup dirigé entre les adversaires, près d'une ligne de côté et légèrement derrière la ligne de service court. Utilisé en réponse à un service court ou comme retour en situation défensive, pour créer un malentendu entre les adversaires.

Position centrale: Emplacement situé au centre du demi-terrain où le joueur doit se placer après chaque frappe, pour bien couvrir tout son espace de jeu.

Posture de base: Attitude générale du corps, façon de se tenir en préparation d'un coup.

Pronation: Mouvement de rotation de l'avant-bras vers l'intérieur du corps. On l'exécute pour prendre un objet.

Receveur: Joueur qui doit renvoyer le service.

Reprise: Arrêt de jeu légitime permettant de recommencer un échange. On parle aussi de *let*.

Retour de smash: Coup à basse altitude, effectué à partir de la zone centrale du demi-terrain et que l'on utilise pour rediriger les attaques puissantes de l'adversaire. Il s'agit d'un coup défensif à pratiquer quand on est sous pression.

Revers: Coup frappé du côté non dominant.

Serveur: Joueur qui doit mettre le volant en jeu.

Service: Coup effectué au début de chaque échange afin de mettre le volant en jeu.

Service court: Mise en jeu qui s'effectue de profil par rapport au filet, en frappant en coup droit. Sa trajectoire est courte et basse. Le volant doit passer très près de la bande supérieure du filet et tomber tout près de la ligne de service court adverse. Lorsqu'il est bien effectué, ce coup est difficile à attaquer et contraint l'adversaire à relever le volant.

Service court asiatique: Mise en jeu qui s'effectue face au filet, en frappant du revers. Sa trajectoire est courte et basse. Le volant doit passer très près de la bande supérieure du filet et tomber tout près de la ligne de service court adverse. Lorsqu'il est bien effectué, ce coup est difficile à attaquer et contraint l'adversaire à relever le volant.

Service long: Mise en jeu qui s'effectue de profil par rapport au filet, en frappant en coup droit. Sa trajectoire est longue et très haute, pour obliger le receveur à reculer et donner au serveur du temps pour réagir. Elle peut être longue et rapide, basse, dans le cas d'un service long tendu, pour surprendre l'adversaire. Le volant doit tomber dans le couloir de fond adverse.

Smash: Coup d'attaque le plus puissant au badminton, frappé au-dessus de la tête et donnant au volant une trajectoire en piqué. Utilisé pour terminer l'échange ou mettre de la pression sur l'adversaire.

Supination: Mouvement de rotation de l'avant-bras vers l'extérieur du corps. On l'exécute lorsqu'on médite, paumes des mains tournées vers le haut.

Tamis: Surface de cordage de la raquette, entrant en contact avec le volant. Également appelé « cordage ».

Tête de la raquette: Partie de la raquette formée du cadre et du cordage, avec laquelle on frappe le volant.

Tige de la raquette: Partie de la raquette mince et allongée qui est située entre le manche et le cadre.

Trajectoire: Courbe décrite par le volant, après la frappe, pendant sa période de vol. Différents paramètres la définissent: hauteur, profondeur, direction, vitesse.

Zone arrière: Tiers arrière d'un demi-terrain comprenant le couloir de fond.

Zone avant: Tiers avant d'un demi-terrain situé entre le filet et la ligne de service court.

Zone de divorce: En double, espace entre deux joueurs. Que les adversaires soient en position offensive ou défensive, il est toujours possible d'effectuer des retours entre eux pour provoquer un malentendu.

Zone de service: Partie du demi-terrain à partir de laquelle on peut effectuer ou recevoir un service. Cette zone n'est pas exactement la même en simple et en double.

Médiagraphie

Livres

Badminton Québec. *Badminton : Manuel technique du deuxième niveau*, Montréal, Badminton Québec, 2000, 156 pages.

Badminton Québec. *Badminton : Manuel technique du premier niveau*, Montréal, Badminton Québec, 2000, 178 pages.

Badminton Québec. *Initiation au badminton*, Montréal, Badminton Québec, 1997, 214 pages.

Bossan, Guy. *Badminton : À vos marques*, Paris, Hachette, 2003, 128 pages.

Corbeil, Jean. *Le badminton*, Montréal, Éditions de l'Homme, 1980, 110 pages.

Ferly, Bertrand, et Guy Papelier. *Le badminton : apprendre le badminton : du jeu de volant au sport duel*, Paris, Amphora, 1995, 153 pages.

Ferly, Bertrand, Bertrand Gallet et Guy Papelier. *Les fondamentaux du badminton : Initiation et perfectionnement avec exercices d'entraînement*, Paris, Amphora, 1998, 143 pages.

Grice, Tony. *Badminton : Vers le succès*, Paris, Vigot, 2001, 137 pages.

Grunenfelder, Francine, et Georges Couartou. *Badminton : De l'école aux associations*, Paris, EPS, 2001, 148 pages.

Laferrière, Serge. *Réussir au badminton*, Montréal, Éditions du Renouveau Pédagogique, 2003, 107 pages.

Le badmintonien : revue officielle des entraîneurs de la F.B.Q., février-mars 1985, vol. 5, n° 1, 10 pages.

Maillé, Robert, Serge Lacroix et Jacques Goulet. *Badminton : Cahier du cours de l'ensemble 2*, Montréal, document personnel, 53 pages.

Mansuy, Élodie. *Badminton : Initiation, entraînement, animation*, Paris, Amphora, 1991, 127 pages.

Sologub, Lars, et Klaus Fuchs. *Badminton : Technique, tactique, entraînement*, Paris, Robert Laffont, 1992, 158 pages.

Sologub, Lars, et Terje Dag Osthassel. *Le badminton : Techniques, tactiques*, Paris, Vigot, 1992, 264 pages.

Tang, Cen. *La voie du badminton : Comprendre le badminton*, Jonquière (Québec), Éditions Asiatiques, 1991, 391 pages.

Sites Internet

www.ac-nice.fr/eps/liens/raquettesanalysejeu/analysespraquettesbad.doc
Fiches d'analyse des rencontres en badminton.

www.ascea-bad-grenoble.org
Site de l'association sportive AS CEA/ST, section badminton, à Grenoble (France).

www.badminton.ca
Site de Badminton Canada, fédération de badminton du Canada.

www.badmintonquebec.com
Site de Badminton Québec, fédération de badminton du Québec.

www.badzine.fr
Webzine de badminton français.

www.badzine.qc.ca
Webzine de badminton québécois.

www.cregybad.org
Site du club de badminton de Crégy les Meaux (France).

www.ffba.org
Site de la Fédération française de badminton.

www.internationalbadminton.org
Site de la Badminton World Federation, fédération internationale de badminton.

www.worldbadminton.com
Site complet fournissant un grand nombre d'informations et de liens.

http://fr.wikipedia.org/wiki/Badminton
Page de l'encyclopédie Wikipédia sur le badminton.

http://lebadminton.online.fr
Site qui se veut « le » site francophone du badminton.

www.youtube.com
On trouve sur ce site des vidéos de badminton vraiment intéressantes et spectaculaires.

Index